NEUROVISION

DOMINIQUE BROTOT

NEUROVISION

FLEUVE NOIR

ISBN : 2-265-00018-3

CHAPITRE PREMIER

Le dégivrage de la Ford marchait mal. Le chauffage pas mieux. De sa main gantée, Tom Hopkins ouvrit une fenêtre rectangulaire dans la buée qui s'obstinait à voiler le pare-brise. Il ralentit pour ne pas rater le panneau du carrefour. 55e Rue Ouest. La prochaine était la bonne. De minuscules flocons dansaient dans la lueur des phares. Ils semblaient résister à la pesanteur, refuser leur destin. Comme leurs prédécesseurs, ils finissaient néanmoins par se fondre à la boue grise que projetaient en longues giclées les rares voitures à emprunter Columbus Avenue à cette heure de la nuit.

Tom tourna dans la 54e. Il écrasa la pédale de frein. Sa vieille Mustang glissa sur le bitume mouillé mais s'arrêta. Des catadioptres orange barraient la moitié de la chaussée, luisant dans la nuit comme les yeux de monstrueux félins. Ils signalaient une clôture volante qui protégeait une tranchée. Au bout de celle-ci, un tas de sable occupait dix mètres de trottoir. Le quartier était en cours de rénovation. Mais quel quartier de New York n'est pas en cours de rénovation ? Tom contourna prudemment la barrière. Mieux valait se méfier, certains employés de la voirie s'ingéniaient à rendre la conduite nocturne plus excitante en semant chausse-trappes et autres embûches.

La 54e filait tout droit entre de vieux immeubles en briques de quatre ou cinq étages. Les façades luisantes de quelques buildings modernes trouaient par endroits leur alignement. Des avis de démolition accrochés à des fenêtres murées révélaient qu'il ne s'agissait là que de l'avant-garde d'une vaste offensive. Les réverbères jetaient leur lumière lasse sur la fine pellicule blanche qui commençait à couvrir les trottoirs.

Tom repéra ce qu'il cherchait : une devanture cernée d'une large bande noire au rez-de-chaussée d'un des immeubles les plus décrépits. On aurait dit un petit magasin de pompes funèbres spécialisé dans l'enterrement de pauvres. Un spot éclairait les lettres bleu ciel peintes sur les vitres opacifiées : OPEN ART GALLERY.

Tom longea la file de voitures garées de son côté de la rue. Il y en avait autant devant la galerie. Manifestement, les événements d'art corporel créés par Jill Page attiraient du public. Il finit par trouver une place où glisser sa Mustang délabrée. Le froid le saisit dès qu'il ouvrit la portière. Finalement, le chauffage de son tacot marchait quand même un peu. Il attrapa son appareil photo, le glissa sous sa canadienne, courut jusqu'à l'entrée. L'air glacé lui grillait les poumons. Pas de miracle en ce dix-huit janvier, le thermomètre devait plafonner à moins vingt.

Il régnait, par contre, une agréable chaleur à l'intérieur du vestibule dans lequel il entra. Une fille aux cheveux châtains et bouclés, curieusement coupés droit au milieu du cou, était assise sous un panneau marqué : VESTIAIRE. Elle avait l'air de s'ennuyer. Tom déboutonna sa veste fourrée et posa son Nikon sur le bureau devant l'hôtesse. Elle voulut lui prendre.

— Eh ! protesta-t-il. J'en ai besoin.

— Les photos sont interdites pendant la performance.

Sa voix, aussi, donnait l'impression qu'elle s'ennuyait.

— Mais je suis journaliste.

— Nous vous fournirons un cliché.

— Pas d'ici le bouclage de l'édition, à l'aube demain matin.

— Vous ne comprenez pas. (Elle semblait de plus en plus lasse. Visiblement, on l'obligeait souvent à répéter le même laïus.) Vous venez assister à ce que l'on appelle une « performance » d'art corporel. Vous pouvez dire « happening », si vous préférez. Ce n'est pas un spectacle car elle ne sera jamais reproduite. Son but est de provoquer en vous un choc esthétique et mental. Si elle l'atteint, vous désirerez probablement en garder un témoignage... Sous forme de photo ou de cassette vidéo. C'est ce que nous vendons. Vous aurez sans doute du mal à y croire mais vivre d'amour de l'art et d'eau fraîche finit par devenir frustrant.

— Oui, mais...

— La performance commence dans cinq minutes, l'interrompit une voix d'homme. A part monsieur, tu ne laisses plus entrer personne, Judith.

— Vous êtes le directeur de la galerie ? demanda Tom au grand blond qui venait d'entrer.

— C'est mon mari, aussi, l'informa Judith.

— Je suis du *Guardian*, poursuivit Tom. Votre femme ne veut pas me laisser prendre de photos. Et si elle ne sont pas développées cette nuit mon article ne passera pas.

— Un article dans le *Guardian !* Veuillez excuser mon épouse, monsieur...

— Hopkins. Tom Hopkins.

— Elle n'a pas l'habitude, monsieur Hopkins. Nous n'intéressons d'habitude que des revues très spécialisées à tout petits tirages. Vous pouvez prendre toutes les photos que vous voulez.

— J'aimerais aussi rencontrer Jill Page.

— Désolé, elle n'assiste jamais à la représentation de ses créations. Mais je suis prêt à répondre à toutes vos questions. En fait, je ne vous lâche pas. Venez, la performance va démarrer. Nous aurons tout le temps de discuter après. Je m'appelle Samuel Milak.

Il attrapa Tom par le bras et l'entraîna dans la pièce suivante, un ancien dépôt dépourvu de fenêtres. Tendus du sol au plafond, des lés de plastique lisse et argenté couvraient les quatre murs. Deux larges rideaux noirs, au milieu de la paroi en face d'eux, interrompaient la surface miroitante. Ils y creusaient un puits sombre où semblaient devoir s'engloutir les reflets déformés des occupants de la salle.

Au nombre d'une quarantaine, ceux-ci affichaient pour la plupart un goût marqué pour les vêtements chatoyants et chers. Une bonne moitié restait à portée de main des bouteilles et des verres posés sur un parallélépipède de plexiglas transparent. Les autres bavardaient par petits groupes devant des écrans de télévision posés sur des colonnes de métal mat.

— Les esquisses de l'événement de ce soir, expliqua Milak d'un ton pénétré. Jill ne laisse rien au hasard. Ses performances sont aussi travaillées qu'un tableau pointilliste. Lorsqu'elle aborde un thème, elle explore systématiquement toutes les voies en rapport avec son sujet. Le résultat présenté est la quintessence de cette recherche. Venez voir !

Tom aurait préféré faire un détour par les bouteilles mais son hôte l'entraîna vers le premier écran. Moulée dans un collant doré, les cheveux cachés par un bonnet de bain de la même teinte, une fille maigre et laide balançait tête en bas sous un gigantesque cadran stylisé. Son visage était congestionné, ses veines, énormes sur ses tempes. La séquence s'arrêta brusquement, remplacée par une annonce : « INSTRUMENT DU TEMPS, CROQUIS N°2 ».

Cette fois, on avait filmé la scène d'en haut. Vêtu de la même tenue brillante, un homme, à en juger la largeur de ses épaules, se tenait baissé, jambes raides et mains aux hanches. Son torse battait de droite à gauche à une vitesse incroyable au-dessus d'engrenages dessinés à même le sol.

« Un pendule de montre », songea Tom. Il attendit, il voulait voir le mouvement se dérégler. Mais l'homme continuait. Même pour un gymnaste, l'exercice devait pourtant devenir extrêmement douloureux.

— Jill nous a permis de publier douze ébauches, l'informa Milak avec enthousiasme. Douze parmi une centaine. Elle ne supporte pas l'à-peu-près.

— Mais endure très bien la souffrance des autres, remarqua Tom.

Sur l'écran, le pendule humain poursuivait son va-et-vient d'une régularité affolante. Milak redressa la tête et bomba le torse sans se soucier du ridicule de sa position. Il semblait poser pour une statue vantant l'héroïsme de soldats tombés au combat.

— Mais je serais prêt, moi-même, à souffrir pour avoir la chance de participer à une démarche aussi fascinante. La cassette est en vente. Si...

Un bruit d'eau tombant goutte à goutte l'interrompit. On aurait dit qu'un monstrueux robinet fuyait dans une salle de bains à l'acoustique de cathédrale. Le son émanait de derrière les tentures.

— Venez, dit Milak, très excité. Nous allons assister à l'aboutissement de cette recherche. La performance s'intitule *l'instrument du temps*.

Tom l'avait deviné. Il faillit planter là l'amateur d'art corporel, récupérer sa gabardine et filer rejoindre Alice. Toutes ces simagrées l'agaçaient. Il n'appartenait pas à ce milieu branché capable de s'enthousiasmer — ou, au moins, de mimer l'enthousiasme — pour des élucubrations abstraites. Malheureusement, il ne pouvait pas courir le risque de rater une occasion, aussi mince soit-elle. Il avait exagéré en affirmant appartenir au *Guardian.* Il parvenait juste, de temps en temps, à vendre des piges au quotidien. Il tenait peut-être un petit scoop avec cette Jill Page. Visiblement, personne dans la presse newyorkaise n'avait encore eu vent de sa réputation. Dans le petit monde qui s'intéressait à l'art corporel, cette fille était une célébrité internationale.

Milak écarta les rideaux et ils descendirent quelques marches pour accéder à une deuxième salle. Les autres visiteurs suivirent. La pénombre permettait à peine de distinguer les chaises sur lesquelles les gens commencèrent à s'installer. En face d'eux, une plaque de plexi transparent large de un mètre et haute de deux se dressait sur une petite estrade. Le faisceau d'un projecteur placé à la verticale l'effleurait, dessinant derrière un rond plus clair sur le sol peint en noir. Personne ne pipait mot dans le public.

L'absence de ce brouhaha qui précède d'habitude un spectacle surprit Tom. Ce recueillement lui parut pesant. Il lui rappelait son précédent reportage sur une secte. Là aussi, un silence respectueux précédait l'apparition du maître. Il arracha son coude à l'étreinte de Milak qui le tirait vers le premier rang.

— Il y a très peu d'éclairage, je vais devoir prendre mes photos au quinzième de seconde. Je n'ai pas emmené de pied, il me faut donc un mur pour me caler si je ne veux pas bouger en pressant le déclencheur.

Milak hocha la tête.

— On se retrouve tout à l'heure, souffla-t-il.

Le bruit de goutte à goutte baissait, remplacé par un bourdonnement lancinant. Tom porta instinctivement sa Swatch à son oreille. C'était le même son, prodigieusement amplifié.

Emergeant des ténèbres, un Asiatique apparut dans le cercle de lumière. Petit, musclé, il ne portait qu'un linge blanc noué autour des reins. Le casque épais de ses cheveux noirs et raides arrêtait le faisceau du projecteur, cachant ses traits derrière un masque d'ombre. Ses gestes étaient lents, concentrés. Il s'agenouilla derrière le rectangle de plexi. Sa main s'enfonça dans l'obscurité. Elle réapparut armée d'un poignard japonais. Tom colla le Nikon contre son œil.

Son zoom lui donna l'impression qu'il n'avait qu'à tendre le bras pour toucher l'homme encadré dans son viseur. Celui-ci se cambra pour exposer son ventre à la lumière. La lame luisante se posa sur l'abdomen, un peu au-dessus du nombril. Avec une régularité et une précision de machine, elle remonta jusqu'au bas du sternum, caressant la peau. L'homme au visage d'ombre se plaqua à la surface de plastique transparent. Dans l'éclairage rasant, son sang ne laissa qu'une ligne noire et verticale.

Estafilade après estafilade, sans jamais montrer la moindre hésitation, il dessina ainsi posément les douze marques, parfaitement régulières, d'un cadran d'horloge. Puis il s'inclina, front contre terre, et posa son couteau. Le bourdonnement de montre à quartz mourut. Tom rembobina sa pellicule. Il avait les mains un peu moites. Un applaudissement brisa l'atmosphère respectueuse et légèrement abasourdie qui régnait dans la salle. L'Asiatique sursauta. Il se redressa, serrant son poignard. Jeta la tête en arrière. Son visage ne resta qu'un bref instant dans la lumière. Tom crut y lire un insupportable dégoût. Il s'empressa de charger à nouveau son appareil.

L'Asiatique avait repris sa position rituelle, lame pressée contre son ventre. Il tremblait.

— Non, Seshu ! cria une voix féminine. Non... !

Une silhouette vêtue de blanc se précipitait sur l'estrade. Elle entra dans la maigre zone éclairée par le projecteur. Tom reconnut le pendule doré de la cassette vidéo. Il se dit que cette fille était vraiment moche. Des hanches osseuses, des épaules frêles poussant vers l'avant, un nez anguleux, le front et le menton proéminents. Il se demanda brièvement si elle pouvait y remédier. Ou si un homme pouvait l'aimer et la désirer malgré sa laideur.

A genoux, en pleurs, elle s'accrochait au Japonais. Tom pressa le déclencheur. En gros plan dans le viseur, la jeune femme semblait supplier une puissance aussi noire et impersonnelle que la mort. D'instinct, le photographe saisit la grimace de souffrance qui tordit ses traits. Il avait raté ce qui l'avait provoquée. On criait dans la salle. Il inclina son appareil, ne perdit pas de temps à modifier le réglage du zoom. Il avait trouvé la beauté du pendule : ses mains. Des mains faites pour caresser des bébés. Un liquide sombre et brillant suintait entre leurs doigts pressés sur une tunique dont les plis semblaient sculptés par Rodin.

Tom laissa retomber le Nikon. La lanière lui scia le cou. Le dénommé Seshu se réinstallait face à l'écran transparent. Sa victime basculait lentement hors du cercle de lumière, bouche béante sur un cri muet. L'Asiatique posa son poignard rouge de sang à la naissance du premier des traits qu'il avait tracés sur son abdomen. Inexorable, comme guidée par une force dépassant celle de l'homme qui la manipulait, la lame creusa une à une les douze estafilades.

Tom se sentait glacé, paralysé. Une volonté presque palpable pesait sur la salle et figeait chacun à sa place. Nul ne possédait droit ou pouvoir d'intervenir sur le cours du destin. Quelque part au fond de lui, la conscience de Tom hurlait sa révolte mais elle demeurait impuissante. Quelque chose dépossédait le jeune homme de son libre arbitre. Il ne gardait même plus le contrôle de son doigt qui prenait cliché sur cliché.

L'odeur du sang l'écœurait.

Sa tâche minutieusement accomplie, Seshu lâcha son arme et se plaqua une nouvelle fois au rectangle de plexi. Il leva un visage extatique vers la lumière. Son expression changea brusquement du tout au tout. Dans le viseur, Tom ne voyait plus la même personne. Une terrible souffrance déformait ses traits. La folie poussait ses globes oculaires en avant, les striant d'écarlate. Tordue par la haine, la fureur, la douleur et le désespoir, sa bouche s'ouvrit pour un cri... Le cadavre bascula en arrière, laissant l'empreinte d'un soleil sombre et visqueux sur le cadre transparent.

L'atmosphère dans la pièce parut soudain plus légère, comme purifiée d'un gaz étouffant. Une femme hurla. Quelqu'un se précipita vers la silhouette pâle de la jeune femme gisant dans la pénombre. Milak bondit sur l'estrade et fonça vers le rectangle de plexi. Il s'arrêta, se tourna vers le public, chercha des mots qu'il ne trouva pas. Des larmes roulèrent sur son visage volontaire.

Tom baissa doucement son appareil. Il s'appuya d'une main contre le mur et vomit.

Quelqu'un pensa enfin à allumer l'éclairage de la salle.

CHAPITRE II

Jill Page suffoquait. Une panique atroce et débilitante enflait en elle, l'étouffant comme une poire d'angoisse. Et cette panique ne cessait de croître. Elle ne connaissait pas de limites. Jill sentait sa raison s'effriter, se diluer pour toujours dans la terreur. Elle n'était plus un être pensant mais un ramassis de cellules que torturait l'impossibilité de fuir. Mais comment fuir ? L'effroi lui ôtait tout contrôle sur son esprit. Elle ne se rappelait plus où elle se trouvait. N'arrivait même pas à déterminer si elle se tenait assise, couchée ou debout. Des ténèbres impénétrables la cernaient. Elles tourbillonnaient, épaisses, vivantes et abominables. C'étaient elles qui sécrétaient la peur démente où elle se noyait. Il aurait fallu si peu pour leur échapper. Jill le sentait, le savait. Il suffisait de redevenir consciente une fraction de seconde. Le temps de se souvenir du geste simple à effectuer. L'horreur qui palpitait dans l'obscurité le lui interdisait.

Un léger grésillement fit naître une lueur chaude dans la pièce.

La terreur s'évanouit instantanément.

Elle devenait déjà aussi irréelle qu'un souvenir né d'un rêve. Jill se redressa dans l'imposant et confortable fauteuil. Bien entendu, l'écran mural devant elle n'affichait plus aucune image. Quelqu'un avait coupé la machine, créant ces ténèbres. Harryman, forcément. Mais de quoi se mêlait-il ?

— De quoi vous mêlez-vous, Harryman ? cracha-t-elle.

— Il allait mourir.

La voix provenait de sa droite, légèrement derrière elle. Jill descendit de la couchette anatomique à l'aspect médical. Elle ne pensait déjà plus à l'épouvante qu'elle venait de connaître. Elle avait éprouvé une émotion tellement plus importante ce soir. Essentielle. Et ce salopard l'avait coupée en plein élan, au moment le plus beau, le plus fort.

— Il allait mourir ! Et alors ?

Aucune lueur ne brillait dans les yeux transparents du nabot en blouse blanche. Jill appréciait au moins ça chez lui. Elle pouvait lui parler sans avoir l'impression de s'adresser à un batracien hypnotisé par ses seins, son ventre ou, chez les plus romantiques, son visage.

— Et alors, dit doucement Harryman, vous seriez peut-être morte avec lui.

— Et alors ? insista la jeune femme.

Une minuscule étincelle amusée passa dans les iris délavés.

— Je tiens à mes assistantes. Je détesterais vous savoir trépassée.

Jill se pencha vers lui.
— Je ne vous appartiens pas !
L'homme soutint l'éclat de ses yeux verts.
— Vous avez la certitude de mourir un jour. Pourquoi précipiter l'expérience ?
Jill plissa les paupières.
— Je serais vraiment morte ?
— Je ne sais pas, répondit Harryman en secouant la tête. Je préfère donc ne pas courir le risque.
Jill sourit. Il mentait et ne cherchait même pas à le dissimuler. Si elle était restée branchée, le décès de Seshu aurait entraîné le sien.
— Laissez-moi seule, ordonna-t-elle. Et ne revenez pas ! Compris ?
Le professeur ne s'offusqua pas du ton cinglant. Il se dirigea vers la porte. Tout l'ennui du monde semblait peser sur ses épaules. Jill attendit d'avoir entendu la clé tourner dans la serrure. Elle avait besoin de réfléchir. Au milieu de la pièce nue et grise, le fauteuil-couchette exposait ses formes majestueuses. Le genre d'équipement destiné d'habitude aux dentistes. Il reposait sur un large cylindre métallique qui cachait les vérins et mécanismes qui permettaient de le hausser et de régler l'inclinaison de ses différentes parties.
Une belle machine.
Sa vue éveillait une curieuse sensation dans le ventre de la jeune femme. L'envie de se pelotonner entre ses accoudoirs et d'écouter son moteur ronronner. Prise d'une soudaine impulsion, elle ôta son vieux jean et son pull effiloché, fit glisser slip et

t-shirt. Couchée sur l'appareil, elle se tortilla avec volupté pour épouser le plus possible les bourrelets de cuir matelassé. Oserait-elle éteindre, affronter de nouveau les ténèbres ?

Un frisson la parcourut lorsqu'elle posa la main sur le variateur. Son cuir chevelu la picotait. Tous ses poils se hérissaient. Elle lâcha le gros bouton rond et poussa la petite manette à côté.

Le fauteuil se mit à tourner en rond. Le bruissement électrique la rassura. Douce et sensuelle contre sa peau, la vibration du moteur l'apaisait. Une tiédeur réconfortante naissait dans ses reins. Ses doigts actionnèrent très lentement le variateur.

La lumière baissa sans que revînt la terreur. Le choc de la rupture, de la séparation, avait dû provoquer cette sensation d'épouvante. Elle continua à tourner dans l'obscurité. Les premiers souvenirs remontaient chatouiller ses nerfs. Elle regrettait de ne pas avoir son vibromasseur. Elle aurait volontiers joui, enveloppée par cette grosse machine caressante, une autre, dans son ventre, rappelant la brûlure glacée de la lame.

Harryman savait à quoi avait servi son appareil ce soir. Il savait comment et pourquoi Seshu était mort. Mais il s'en foutait. Il n'avait abordé le sujet que pour la mettre en garde contre les dangers qu'elle-même courait.

Les souvenirs se faisaient plus intenses, presque physiques... Quel choc elle avait éprouvé en se retrouvant tout à coup dans le corps de Seshu. Brusquement, elle avait vu à travers ses yeux, senti le contact du sol sous ses genoux. Sa position comprimait un drôle d'appendice et deux grosses glandes dures entre ses cuisses. Chargée des haleines des spectateurs, l'atmosphère de la pièce était moite contre la peau nue de son torse. Bien que braqués dans sa direction, les regards de tous ces gens ne la touchaient pas. Ils ne possédaient pas la même qualité que d'habitude, cette façon de la déshabiller avec l'avidité sordide de doigts de vieillard. Ils ne pouvaient pas la salir car ils voyaient Seshu.

Autant qu'elle avait pu en juger, le garçon n'avait pas compris ce qui se passait. Il n'avait pas cherché à résister quand Jill avait pris le contrôle de ses muscles. Il ne s'était même pas rendu compte qu'une conscience étrangère à la sienne dirigeait ses mouvements. Le Japonais se croyait dans une espèce d'état second.

Jill regrettait maintenant de ne pas avoir réellement pris garde à la façon dont leurs deux esprits cohabitaient mais la performance l'absorbait trop. *L'instrument du temps*, la conclusion de tant de mois de travail. En conséquence, elle n'avait quasiment rien perçu de la personnalité, des pensées ou des émotions de Seshu. Juste, peut-être, ce qu'ils pouvaient partager. Comme ce flamboiement de rage quand Myriam était venue les déranger. Quand elle avait osé les toucher.

A cet instant-là, Jill avait senti la colère du garçon s'allier à son propre dégoût. Des souvenirs qui ne lui appartenaient pas s'étaient mêlés aux siens. Les regards de chien battu de Myriam. Ses sempiternels cadeaux. Les messages inquiets dont elle assaillait son répondeur. Ses bras toujours en train de se refermer autour de lui. Ses mains de l'attraper. Sa bouche de l'embrasser. Cet amour trop épais, plus étouffant qu'un chantage. L'impression de trahir parce que l'on sort simplement se promener seul...

Seshu avait frappé avec Jill. L'envie de tuer les réunissait. La honte qui avait ensuite envahi le Japonais les avait séparés. Jusqu'à ce qu'ils partagent la douleur, étincelante et purificatrice.

Le Japonais n'avait pas cherché à résister à la volonté qui enfonçait le poignard dans son ventre. Il désirait la souffrance. Il y fuyait son désespoir et ses remords. Jill y découvrait un sentiment d'aboutissement qu'elle n'avait encore jamais connu. Le corps qu'elle maîtrisait, son corps de l'instant, se détruisait. Il devenait pour toujours l'objet d'art qu'elle voulait créer.

Aucun des spectateurs ne sortirait indemne de l'expérience. Aucun d'entre eux ne pourrait plus jamais oublier ce cadran horaire gravé dans la chair et le sang. Inscrit dans leur mémoire, inaltérable, il les garderait conscients, seconde après seconde, de l'implacable écoulement du temps qui les conduisait à leur mort.

Elle ne pouvait pas aller plus loin dans son art. A ce moment, elle avait sincèrement désiré mourir. Harryman en avait décidé autrement en arrêtant son appareil et en la jetant dans la terreur.

Jill Page ne le regrettait plus. Elle éprouvait déjà ce léger frémissement en elle et reconnaissait le signal.

L'inspiration revenait. Cet appareil offrait tant de possibilités.

Jill poussa l'interrupteur encastré dans l'accoudoir entre la manette qui dirigeait les mouvements du fauteuil et le bouton qui commandait la lumière. Le mur, devant elle, commença à scintiller. Il s'agissait, en réalité, d'un immense écran cathodique.

La jeune femme ne chercha pas à évoquer quoi que ce soit de particulier. Au contraire. Ne rien penser. Ne rien vouloir. S'abandonner à l'inspiration, à cette curieuse impression que des éléments légers et ailés frôlent son diaphragme. Tôt ou tard, ces lucioles s'assembleraient afin de reconstituer le puzzle. L'artiste saurait alors dans quelle nouvelle direction travailler.

Un à un, sans qu'elle l'ait cherché, des doigts commencèrent à couvrir l'écran mural. Des centaines de doigts. Ils agitaient dans sa direction leurs articulations gonflées et leurs phalanges décharnées et marquées de taches brunes.

Pourquoi apparaissaient-ils maintenant ? Parce qu'elle venait de mourir et avait droit à une nouvelle naissance, un nouveau départ ?

L'hypothèse sonnait juste. Elle expliquait entre autres qu'elle pût résister au spectacle. Combien de fois ces images vues en rêve l'avaient-elles jetée vers les toilettes pour y vomir ? Elle se demanda si elle pouvait vraiment *tout* assumer. Autant essayer. Jill laissa les scènes remonter du fond de sa mémoire. Un nuage de parasites voila l'écran. Les points lumineux se concentrèrent en un seul, extrêmement brillant.

Les surfaces colorées en jaillirent d'un coup, trouvant instantanément leur place.

Toujours aussi bruns et noueux, les doigts reposaient sur un plaid écossais. La couverture cachait les genoux d'un vieillard. Pépé. Sa carcasse sèche tremblotait dans l'étincelant fauteuil roulant électrique. Il semblait réellement présent dans la pièce. Jill sentait même son odeur d'urine rance et de savon à la lavande. Elle n'entendait pas le moteur du fauteuil mais Pépé roulait vers elle. Le petit filet de salive coulait au coin de sa bouche. Sa main se tendait.

Jill ferma les yeux. « Tout assumer. » Un volcan entra en éruption au fond de sa mémoire...

Les doigts crochus l'agrippent, la touchent. Leur contact ignoble partout sur elle. En elle. Pas de fuite possible, nulle part. Surtout pas dans sa chambre. Le vieillard s'excite encore plus dans sa chambre.

Jill Page poussa un long soupir. Une sueur glacée la couvrait. Elle rouvrit les paupières. Enorme, monstrueux, le regard jaillissait du mur tout entier. Des globes marbrés de jaune, exorbités et avides. Tellement avides. Mais ils ne la plongeaient plus dans l'horreur et la panique. Ils réveillaient seulement le dégoût et la haine.

— Tu es déjà mort une fois, Pépé, murmura-t-elle. Sans mon aide, mais moi j'ai besoin de te tuer.

Sur l'écran, le vieillard se retrouva soudain au milieu d'une vaste place déserte. Il parut surpris lorsque son fauteuil se mit en marche tout seul. Il filait tout droit vers un majestueux escalier qui descendait jusqu'à une esplanade et un bassin. L'affolement secouait l'hémiplégique. Il se cramponnait à la manette de commande qui dépassait de la boîte grise fixée à son accoudoir. La tige de métal luisant lui resta dans la main.

Le fauteuil prenait une vitesse impossible. Il décolla au haut des marches en marbre, tomba au ralenti. Jill haletait. Un soupir jaillit de ses lèvres au moment du premier choc. Un autre quand le fauteuil et son contenu rebondirent. Et encore. Encore.

Encore...

Le fauteuil atterrit.

Trop tôt... Trop tôt...

Jill Page retomba sur sa couchette. Elle sentait ses cuisses se frotter nerveusement l'une contre l'autre sans qu'elle puisse les arrêter. Une immense frustration crispait ses muscles, griffait ses nerfs. Elle s'efforça de contrôler son souffle, d'apaiser ses tremblements, de calmer l'incendie qui ravageait son sexe.

« Un peu de patience ! Un peu de patience ! » se répétait-elle.

Peu à peu, le sang cessa de battre à ses tempes. Elle contemplait la sculpture de chair et de métal exposée sur la dalle de marbre. Le sang était si beau sur l'acier chromé.

Harryman cherchait un deuxième sujet d'expérience et lui avait demandé de se charger de la sélection. Cette corvée prenait soudain un tout autre intérêt.

CHAPITRE III

Le soleil paraît occuper la totalité du ciel. Brutale mais diffuse, sa lumière efface les ombres, écrase les couleurs en un camaïeu terne de jaunes, d'ocre et de beiges. Pas de vent, pourtant un frémissement trace une ligne sinueuse dans les têtes poussiéreuses de graminées. Quelques zèbres du troupeau s'ébrouent, piaffent. Ils hument l'air immobile et brûlant, puis se remettent à boire à la mare. Le fauve jaillit alors de la savane.

Comme soufflés par une explosion, les ruminants fusent dans tous les sens. Leurs sabots soulèvent une fumée sale. Le pelage de la lionne se confond avec la terre pulvérulente et les hautes herbes sèches. Le carnassier hésite entre plusieurs cibles, zigzague entre un vieux mâle et une femelle au ventre alourdi par le petit qu'elle porte. Les trajectoires des herbivores s'incurvent, ils cherchent à se regrouper. Quatre griffes frôlent la cuisse de la jeune femelle. Quelques millimètres viennent de lui sauver la vie, elle se réfugie au sein du troupeau.

Le vieux essaie aussi mais il n'en a plus le temps. A la dernière seconde, il évite d'un bond sur le côté le coup qui allait lui briser la patte. Il prend du champ puis tente de revenir à plein galop vers ses frères. De sa longue foulée souple, sa poursuivante s'interpose. Il recommence et la lionne brise son élan avec la même nonchalance. A chacun de ses essais, elle l'écarte un peu plus de ses congénères. Il s'essouffle, perd de la précision, trébuche. Elle donne l'impression de se promener mais sa vigilance ne faiblit jamais. Insensiblement, en longs cercles concentriques, elle pousse sa proie vers un bosquet d'arbustes. Celle-ci finit par s'engouffrer sous les branches basses.

La deuxième lionne bondit alors du perchoir où elle se tenait à l'affût. Elle atterrit sur l'échine du zèbre. Ses griffes se plantent dans sa chair, ses dents se referment sur sa nuque. Les deux animaux roulent au sol. Au milieu d'un nuage ocre, quatre sabots pédalent frénétiquement dans le vide puis retombent avec la poussière. Cloué à terre par le fauve qui s'accroche à son dos, le ruminant respire lourdement, couché sur le flanc. Un dernier sursaut le secoue quand la deuxième lionne, celle qui l'a traqué, approche lentement. Mais il est trop faible. Seule la palpitation de ses naseaux traduit son affolement lorsqu'elle s'allonge près de lui, croise ses pattes sur son encolure. Elle semble bâiller. Sa gueule se referme sur le mufle de sa victime, emprisonnant bouche et naseaux.

Alice coupa le défilement de la bande. Pour la centième fois, peut-être, elle se concentra sur l'image fixe. S'agissait-il bien de ce qu'elle cherchait ? Cette lueur dans les yeux jaunes, à la pupille minuscule, au moment de la mise à mort ? Elle plissa les paupières, se tourna vers son tableau. Haut de deux mètres, il représentait un tigre en plein bond, grandeur nature. L'animal paraissait jaillir de la toile, surgir d'un fond volontairement flou pour attaquer le spectateur.

L'impression de puissance était saisissante. Beaucoup plus saisissante que n'aurait pu l'être une photo. Et pourtant, il lui manquait quelque chose. Alice compara les deux regards. Elle ne décelait aucune différence. Aucune. Elle avait parfaitement réussi à reproduire celui de la cassette vidéo. Mais alors, où se cachait le problème ? Pourquoi son fauve ne lui donnait-il pas le sentiment d'être vraiment sauvage ?

— La brousse. Toujours la brousse, lança soudain la voix de Tom derrière elle.

Alice ne sursauta pas. Elle avait fini par s'habituer à ses arrivées furtives. Il adorait faire sursauter les gens. Un mois plus tôt, un « Coucou ! » intempestif l'avait mise dans une telle rage qu'elle lui avait repris sa clé. Dans sa colère, elle se sentait prête à rompre s'il continuait à se comporter en gamin demeuré. Elle avait rendu la clé. Elle voulait qu'il se montre plus présent, plus sérieux, pas qu'il disparaisse. De toute manière, sa colocataire, Trudy, ne pensait jamais à verrouiller la porte.

Alice perçut la fatigue, et peut-être autre chose, dans la voix de Tom. Elle n'allait toutefois pas lui pardonner la nuit précédente aussi vite. Sans daigner se retourner, elle relança le magnétoscope.

— Il y a du café à la cuisine.

— Et j'ai amené des beignets. Nous pouvons prendre le petit déjeuner ensemble si tu quittes l'Afrique cinq minutes.

— Prépare tout, j'arrive.

Sur l'écran, le zèbre agonisait, asphyxié. Un dernier spasme agita ses pattes, comme un ultime galop. Elles retombèrent, raides et inertes. Aussitôt, les deux lionnes le lâchèrent. Celle qui l'avait étouffé planta ses dents dans la base du cou. Le sang gicla. L'autre fouillait entre les pattes arrière. Elles dévoraient la thyroïde et les organes génitaux, les glandes les plus nourrissantes. Alice avait coupé le son mais connaissait par cœur le commentaire du documentaire.

— Alors, tu viens ? demanda Tom. C'est prêt.

Elle éteignit l'appareil et se leva. Tom avait disposé la cafetière, les tasses et l'assiette de beignets sur la table basse du coin salon. Un divan affaissé et quelques poufs l'entouraient. Trudy les avait recouverts d'un tissu bleu nuit parsemé de constellations zodiacales. L'astrologie constituait la plus grosse lubie de Trudy, celle à laquelle elle consacrait le plus de temps.

L'atelier d'Alice occupait le reste de la pièce rectangulaire éclairée par quatre grandes fenêtres. La toile au tigre était punaisée au mur blanchi. Ses esquisses l'encerclaient : des croquis de fauves à l'aquarelle. Un projecteur de diapositives monté sur un pied lui faisait face. Une caisse à outils abritait pinceaux et couleurs. Alice gardait la boîte rangée dans l'angle des deux murs, à côté du compresseur de l'aérographe, espèce de citrouille orange et métallique. Devant le magnétoscope et son moniteur, elle avait placé un fauteuil bas : un vieux machin râpé trouvé près d'une poubelle.

— Je t'attendais cette nuit, dit-elle en se laissant tomber sur le sofa.

Vêtue d'un jean et d'une chemise à carreaux, elle était grande, bien en chair mais d'allure sportive. Les pointes de ses cheveux blonds et raides effleuraient ses épaules. Son nez en trompette lui donnait un air juvénile qui détonnait avec l'expression sérieuse, presque sévère, de ses yeux bleu-gris.

Toujours debout, Tom lui tendit une tasse avec un sourire triste.

— C'est pour ça que tu boudes ?

— En gros, oui. On se connaît depuis trois mois et quand on fixe un rendez-vous, je ne sais jamais si tu ne vas pas me poser un lapin.

Tom farfouilla sous sa chemise en denim délavé. Il sortit le journal passé dans son pantalon de coton beige et fripé. Il avait plié le quotidien de manière à mettre en valeur un long article de la page quatre. Alice remarqua ses initiales au bas du texte : T. H., puis lut la légende sous la photo : *Seshu Tanaka vient de s'éventrer après avoir poignardé son amie.*

Elle poussa le sifflement qui, elle le savait, ferait plaisir au garçon.

— Hé, pas mal.

— J'ai même eu droit à une manchette sur la une.

Le ton n'y était pas. Elle tapota le coussin à côté

d'elle sur le sofa. Tom préféra s'agenouiller à ses pieds. Il posa ses mains dans le sillon formé par ses cuisses serrées.

— Qu'est-ce qui t'arrive ? demanda son Alice. Il y a quelque chose qu'il faut que je te pardonne ?

Il éclata de rire en agitant ses longs cheveux châtains, fins et bouclés. Un bref instant, ses yeux noirs retrouvèrent leur éclat habituel.

— Non, heureusement, tu as déjà tellement à me pardonner, ma chérie. Tu comprendras mieux en lisant l'article. J'ai assisté à toute la scène. Elle a bien duré deux ou trois minutes. Et je n'ai pas bougé. Rien. Sauf pour prendre des photos.

— Et alors ?

— Et alors, je me croyais autrement. Plus courageux, peut-être. Ou plus généreux.

Il exhibait de nouveau ce drôle de sourire triste qui lui mangeait les lèvres.

Alice prit ses joues creuses et mal rasées entre ses mains. Il avait l'air encore plus enfantin qu'à l'accoutumée. Une fois de plus, elle se demanda ce qu'elle trouvait à ce gosse attardé. Jusqu'à ce que leurs lèvres se touchent. C'était comme une flamme qu'il allumait dans son ventre. Elle le plaqua si avidement contre elle qu'il émit un petit halètement quand ses poumons se vidèrent. Elle en sentit le souffle sur sa langue et la poussa dans sa bouche. Elle aurait voulu le pénétrer de ses seins.

— Ce sont toujours les autres qui ont de la chance.

Ils ne se préoccupèrent pas de répondre, continuèrent à s'embrasser.

— Salut les amoureux ! (Trudy se laissa tomber sur un pouf.) J'ai acheté des beignets. Mais vous n'avez sans doute pas faim.

Alice avait perçu le tremblement dans la voix de son amie. A regret, elle repoussa Tom.

— Tu ne devrais pas être à ton magasin, toi ?

— Jamais les jours de rupture, répondit Trudy d'une voix sourde. J'ai prévenu Clarisse. (Elle émit un ricanement amer.) Elle a l'habitude.

— Un peu de café ? proposa Tom.

— Oui, merci.

Il servit les deux femmes, partit chercher une troisième tasse dans la cuisine. C'était la seule autre pièce du rez-de-chaussée. Deux chambres et la salle de bains remplissaient le premier et unique étage. Mal isolée, la vieille bicoque en bois coûtait à ses occupantes une fortune en chauffage. Mais pas un sou de loyer. Passionné de spiritisme, le promoteur qui avait rasé le pâté de maisons autour d'elle fréquentait assidûment la boutique d'articles ésotériques de Trudy. Il leur prêtait l'habitation en attendant le jour où son auvent vieillot et son toit pointu donneraient son cachet à un complexe de luxueux appartements.

— Tu devrais voir les choses du bon côté, dit Alice. Tu te retrouves maintenant libre de rencontrer quelqu'un qui en vaille la peine. Tu m'excuseras, mais Jim n'entrait pas dans cette catégorie.

Trudy se redressa dans sa robe rouge à volants, un peu froissée. Malgré les retouches de maquillage, on devinait les traces de larmes sur son visage ovale, ridé aux plis des paupières et des lèvres. Trudy possédait le don de vivre avec innocence et passion des amours emberlificotés et souvent pervers.

— Tu en parles à ton aise, protesta-t-elle. Tu as Tom. Mon histoire avec Jim n'avait rien d'aussi sérieux mais quand même. Le salaud ! Je croyais qu'on avait passé une nuit super. On s'était déguisés. Il jouait l'affreux coureur de pistes et moi sa prisonnière indienne. Qu'est-ce que je me suis débattue avant de céder. Il aurait dû être content. Mais non. Ce matin, il m'a foutue dehors en m'annonçant que je le barbais.

Elle s'avachit à nouveau, voûtant les épaules.

— Je suis trop vieille, voilà tout. Tant qu'on s'envoie en l'air, ça va. Mais quand ils se réveillent, je les dégoûte.

— Mais non, Trudy, la rassura Tom en revenant de la cuisine. Si je n'étais pas déjà casé, je me traînerais à genoux devant toi.

— Tu es un amour !

Elle sauta sur ses pieds pour plaquer deux gros baisers sonores sur ses joues. De taille moyenne, elle avait un torse menu et une taille fine. Pour une obscure raison, elle s'obstinait à teindre en noir sa chevelure blond vénitien. La couleur naturelle réapparaissait à la racine.

— Mais que ferais-tu d'une mémé de quarante ans ? Et puis t'es trop sain pour moi. Mon horoscope est impitoyable à ce sujet. Je suis condamnée aux mecs tordus.

— L'horoscope n'est peut-être pas le seul responsable, remarqua Alice.

— En parlant de mec tordu, dit Tom, s'assombrissant brusquement, je devrais peut-être vous raconter ma soirée d'hier.

— Ne me dis rien ! l'arrêta Trudy en prenant une pose inspirée, une main plaquée sur ses yeux. Tu es allé à l'*Open Art Gallery*.

— Tu as lu le *Guardian !*

— Non, non, pas du tout, protesta Trudy. Purs pouvoirs psychiques. Ce que d'aucuns tentent de rationaliser sous le terme d'intuition féminine. (Elle s'arrêta pour lui adresser un clin d'œil.) Et puis une cliente m'a alpaguée ce matin à la boutique.

— Pas la peine que je me fatigue, alors.

— Mais si, elle n'a rien pu me dire. A cause de Satan. Dès qu'elle a senti sa présence, elle est tombée dans les pommes. Elle se rappelait juste d'un jeune photographe très mignon dont la description est ton portrait craché.

Tom mima la fausse modestie outragée en prenant une voix de cabotin :

— Pourquoi faut-il toujours que tu exagères, Trudy ?

Alice les regardait tous les deux. Ils se jouaient la comédie avec la candeur de gosses se prenant pour les héros d'un film. Et ils oubliaient déjà leur tristesse et leurs angoisses. Comme souvent, elle éprouva une bouffée de dépit. Au fond, Tom se montrait beaucoup plus à l'aise avec sa colocataire qu'avec elle.

— Bon, alors, tu commences ? demanda Trudy.

— Bon, alors je commence, répondit le garçon.

Il plia sa longue carcasse dégingandée pour s'asseoir sur un pouf. Il avait les genoux plus hauts que la table basse. Il les écarta pour pouvoir remplir sa tasse. Il sirota une gorgée et se pencha en avant. Sa mimique se voulait mystérieuse mais donnait l'impression qu'il avait une poussière dans l'œil. Il attaqua d'une voix grave, légèrement chevrotante :

— C'était une sombre nuit d'hiver. La bise fouettait les rues de la grande ville. Les flocons de neige eux-mêmes grelottaient de froid. Mais il en faut plus pour arrêter Tom Hopkins, le célèbre journaliste...

Alice poussa un soupir mi-amusé, mi-excédé, et ouvrit l'exemplaire du *Guardian* qu'il avait posé sur le divan. Elle comprendrait sûrement mieux en lisant l'article. Quand elle l'eut terminé, Tom, dans son histoire, venait de conquérir le cœur de la fille du vestiaire. Tandis que la pauvrette suffoquait, le feu aux joues et la culotte trempée, il bluffait le directeur.

Alice saisissait mieux maintenant le besoin qu'il éprouvait de se défouler. Cette histoire était abominable. Il devait en plus assumer le fait que pour lui, elle représentait un grand coup de chance : son premier papier d'importance dans le journal. Bien que ne s'intéressant que de très loin à l'art corporel, Alice avait entendu parler de Jill Page. Une fille bizarre. Tout son travail visait à transformer le corps humain en machine. Des transformations toujours douloureuses même lorsque la créatrice les incarnait elle-même à ses débuts.

Elle prétendait ainsi dénoncer la société moderne

et mécanique. Alice s'était toujours posé de grosses questions sur les artistes qui prétendaient dénoncer. Elle les soupçonnait de dissimuler leurs véritables pulsions derrière ce prétexte. Toute son expérience personnelle lui révélait en effet qu'il faut être fasciné par son sujet pour créer.

Les centres d'intérêt d'Alice se situaient à l'opposé. Elle, c'était la vie qui la passionnait. La vie dans ce qu'elle a de plus brut : l'animal sauvage. La bête qui donne et craint la mort en permanence. Elle aurait tant voulu pouvoir en discuter avec Tom mais il se défilait dès qu'une conversation devenait trop sérieuse à son goût. Peut-être devrait-elle avouer clairement qu'elle recherchait son aide... ? Et pourquoi ne pas cirer ses godasses ou repriser ses chaussettes ? Il n'avait qu'à lui accorder plus d'attention.

En attendant, son travail débouchait sur une impasse. Il émanait de son tableau la puissance et la sensation de menace qu'elle recherchait. Mais il manquait toujours à son tigre ce petit quelque chose qui l'aurait rendu véritablement sauvage. Alice sentait qu'il s'agissait d'une façon différente d'être présent. D'une autre manière, plus intense, de ressentir chaque instant. Pouvait-elle la rendre dans un tableau alors qu'elle-même ne la ressentait pas ?

A l'*Open Art Gallery*, un Japonais venait de s'agenouiller derrière un panneau de plexi. Tom prenait son premier cliché et Trudy poussait un soupir angoissé...

Alice continuait à feuilleter machinalement le *Guardian*. Une annonce accrocha son regard :

Institut de psychologie
cherche artistes féminins

pour expériences rémunérées sur la créativité.
S'adresser 2532, Catherine St., Staten Island.

CHAPITRE IV

Alice aurait préféré une arrivée plus discrète. Le pot d'échappement de la guimbarde de Tom avait éclaté sur le Verrazano, le pont qui relie Brooklyn à Staten Island. Dans ce quartier résidentiel et huppé, aux grandes villas luxueuses cernées de vastes jardins, ses pétarades de bombardier en détresse constituaient une véritable obscénité. Elle souffla sur ses doigts, agita ses orteils dans ses bottes. Elle aurait aussi préféré que le chauffage de la voiture fonctionne correctement. La température qui régnait dans le véhicule risquait de la condamner à une amputation des extrémités.

Tom conduisait avec d'énormes moufles en peau de mouton et le visage enfoncé jusqu'aux yeux dans un cache-nez. Alice ne pouvait pas lui reprocher de ne pas avoir prévenu, mais avait cru qu'il exagérait l'état de sa vieille Mustang pour le plaisir d'interpréter un petit solo de claquements de dents. Pelotonnée sur le siège arrière dans une couverture de laine, Trudy luttait en silence contre la congélation.

Le ciel était d'un bleu étincelant et il n'y avait pas un souffle de vent mais le thermomètre avait encore chuté. A en croire le présentateur météo de CBS (mais quand cesserait-il enfin d'essayer d'être drôle ?), les températures oscillaient entre moins trente et moins trente-cinq selon la distance à laquelle on se trouvait d'une bouche de métro. Le vacarme du moteur en échappement libre s'éteignit comme la Ford s'arrêtait contre un trottoir. Alice éprouva le même soulagement que si l'on avait soudain libéré sa tête d'un casque beaucoup trop serré.

— Je vous accompagne, dit Tom.

— Pas question ! répliqua-t-elle. Tu nous as déjà mises en retard.

— Je vous ai mises en retard, moi ! s'exclama-t-il d'un ton outré. Je n'ai même pas entendu le réveil sonner. Tout ce que je sais, c'est qu'une tigresse a profité de mon inconscience pour abuser sexuellement de mon corps ensommeillé. (Il sourit.) Tu m'embrasses ?

Elle lui rendit son sourire.

— Pas le temps. Et puis j'ai les lèvres gelées, elles risquent de casser. A tout à l'heure. Tu viens, Trudy ?

Alice ouvrit la portière et fit basculer le dossier de son siège pour libérer sa colocataire. Précédées du halo de leur haleine, les deux femmes traversèrent la rue en courant. Alice serrait frileusement son long manteau fourré autour d'elle. Trudy gardait les mains enfoncées dans un blouson matelassé décoré d'un dragon chinois multicolore.

Aucune clôture ne protégeait les jardins. Plus épaisse en bordure des trottoirs et des voies privées que l'on avait dégagés, une mince couche de neige recouvrait les pelouses. Un iceberg de granit émergeait du tapis blanc et poudreux, à gauche de l'allée qu'empruntèrent les deux amies. La plaque de laiton vissée sur le bloc de pierre les informa qu'elles se dirigeaient vers le *Panpsychological Institute*. C'était un bâtiment bas, carré, au toit en terrasse. Il était posé sur une légère élévation de terrain et éloigné d'une trentaine de mètres des propriétés voisines et de la rue.

— Je passe vous prendre à midi, cria Tom derrière elles.

Elles agitèrent la main, gravirent les trois marches de marbre noir du perron et poussèrent la porte de verre teinté. Dans le hall d'entrée rectangulaire, une épaisse moquette beige étouffa le claquement de leurs talons. Du bout de l'index, Alice caressa le tissu tendu sur les murs. Un tissu luxueux et beige. De la soie naturelle. Il faisait délicieusement chaud. Les pommettes et les doigts d'Alice commencèrent à la picoter.

Installé au coin du seul couloir débouchant dans ce hall, un petit homme en blouse blanche fixait l'écran d'un ordinateur posé sur un bureau neuf et fonctionnel. Un début de calvitie, au sommet de son crâne, creusait une chevelure argentée. Il tourna la tête dans leur direction.

— Vous êtes en retard.

Alice s'approcha, elle n'aimait pas crier.

— Je vous prie de nous excuser. Nous avons été retenues par un accident de la circulation.

— Un terrible carambolage, il y avait des morts, renchérit Trudy, toujours prête à apporter son obole à une bonne histoire.

Alice déboutonna son manteau. Elle portait la robe de laine écrue et les bas assortis que lui avait offerts Tom. Sa tenue d'hiver la plus présentable même si, à son goût, le textile souple la moulait un peu trop. L'homme secoua ses cheveux gris curieusement luisants. Il eut un rapide haussement d'épaules.

— Les aléas de l'existence. De toute manière, qui se soucie de quelques minutes dans le long fil du temps ?

Elles le fixèrent toutes deux, décontenancées. Son visage arborait une expression ambiguë. Un pli dur pinçait ses lèvres minces mais ses yeux souriaient. Ils avaient des iris très clairs, délavés et du même beige que la moquette et le tissu mural.

— Je ne sais pas, finit par dire Alice en lui retournant son haussement d'épaules. Cela dépend des minutes en question.

Il hocha vigoureusement la tête avec un air ravi.

— Nous sommes faits pour nous comprendre. Je vais remplir votre dossier, mais soyez succincte. Vous n'êtes pas à l'état civil ici. Il me faut juste vos nom, âge, nationalité et niveau d'étude.

Il posa les main sur son clavier sans cesser de la regarder.

— Alice Godsend...

— Intéressant.

— Pardon ?

— Rien, rien. Continuez !

— Vingt-cinq ans. Diplôme de fin d'études secondaires. Deux années d'école d'art.

— Vous avez été renvoyée ?

— Non, répondit Alice, vexée. Ma bourse n'a pas été renouvelée et mes parents n'avaient pas les moyens de payer ma scolarité.

— Quelles sont vos occupations actuelles ?

— Je continue à peindre. Je fais de l'hyperréalisme. Du moins, j'essaie. Pour gagner ma vie, je prends un emploi intérimaire quand je n'ai plus d'argent. Je me débrouille en comptabilité et ne suis pas trop mauvaise en orthographe.

— Ou vous vous prêtez à des expériences rémunérées.

Ce type commençait à l'agacer.

— Pourquoi pas ? Il y a bien des gens qui sont psychologues.

— A qui le dites-vous ! (Il se tourna vers Trudy.) A vous.

— Trudy Johnson. Trente-neuf ans. Pas d'études supérieures. Je possède et dirige un magasin d'articles ésotériques.

L'homme sourit.

— Vous croyez vraiment à toutes ces fadaises ?

Trudy lui rendit son sourire.

— Pas à toutes mais je n'ai pas encore trouvé celles que je gardais et celles que je rejetais.

— A votre place, je jouerais ça à pile ou face. Eh bien, je crois que vous pouvez y aller. Deuxième porte à droite. Soyez discrètes, l'épreuve de sélection a déjà commencé.

Il se remit à pianoter sur son clavier et elles se dirigèrent vers le couloir à droite de son bureau. Il se frappa soudain le front.

— Ah, j'ai failli oublier. J'ai besoin de connaître vos adresses.

— Trente-sept, 45ᵉ Rue, Borough Park, Brooklyn.

— Pareil pour moi, dit Trudy.

— Un quartier mal famé, paraît-il.

— En rénovation, surtout, répliqua Alice avec irritation. Nous habitons la seule maison encore debout dans un rayon de trois cents mètres.

— On est plus tranquille, sans voisins, pour se concentrer. Une artiste a besoin de se concentrer, n'est-ce pas ?

Sans répondre, Alice passa dans le couloir. Elle trouvait vraiment ce type crispant.

La deuxième porte à droite ouvrait sur une pièce de sept à huit mètres de large sur dix de long. Des stores vénitiens occultaient les trois grandes fenêtres percées dans le mur en face de l'entrée. Ils ne laissaient filtrer qu'une lueur tamisée. Sur le seuil, Alice et Trudy attendirent que leur vue s'habitue à la pénombre. Sur leur gauche, une quinzaine de femmes de tenues et d'âges très divers étaient assises sur deux rangs de chaises. Elles fixaient un très grand écran tendu sur deux montants verticaux à droite de la porte. La photo d'un chantier, parfaitement lisible, l'occupait tout entier. Un puissant projecteur de diapositives devait se trouver derrière.

Trudy adressa un petit signe de la main à la seule spectatrice qui semblait avoir remarqué leur arrivée : une grande brune d'une quarantaine d'années vêtue d'un élégant tailleur gris foncé. Celle-ci ôta son sac à main et son manteau posés sur les deux sièges les plus proches d'elle. Alice laissa son amie l'entraîner puis la pousser sur la chaise vide à côté de l'inconnue.

Accroupie devant l'écran, tête baissée, bras refermés autour de ses genoux serrés, une silhouette vêtue de velours côtelé noir se déployait lentement. Ses longs cheveux roux tombaient comme un rideau. Ils s'écartèrent, révélant un visage aux traits ascétiques et au regard fixe. La jeune femme s'était placée sur le côté du cliché, entre deux grues. Ecartant les bras, elle parut prendre appui sur leurs flèches. Debout sur la pointe des pieds, elle plia soudain légèrement les jambes. Sa tête tomba sur son épaule.

L'image prit Alice au dépourvu. Une nausée fugitive amena un goût de bile dans sa gorge. Les crucifix lui faisaient cet effet depuis sa plus tendre enfance. Elle n'arrivait pas à voir en eux autre chose qu'un homme horriblement supplicié.

— Bravo ! s'exclama une voix chaude. Attitude corporelle parfaite. Rapport évident entre l'objet — la grue — et le concept illustré — l'élévation religieuse. Vous avez très bien compris le sens de l'exercice.

Alice se tourna dans la direction d'où provenait la voix. Le battant de la porte lui avait caché la femme brune assise à l'écart contre le mur. La lumière douce qui baignait la pièce rehaussait encore sa beauté presque irréelle. Elle portait un vieux pull-over avachi et un pantalon de marin taillé dans une épaisse toile bleue mais, sur elle, ils paraissaient coupés par un grand couturier. Son épaisse chevelure de jais semblait vivante. Elle s'enroulait autour de son cou long et délicat avant de se lover sur la poitrine aux proportions parfaites. Un nez mince et droit partageait le visage ovale aux lèvres pleines. Les immenses yeux verts, légèrement fendus en amande, avaient l'éclat de deux émeraudes.

Une intense jalousie, presque douloureuse, broya le ventre d'Alice. Elle n'avait jamais ressenti auparavant une telle bouffée d'envie et de haine viscérale. Elle en grimaçait. Elle serra les poings, furieuse contre elle-même. Depuis quand attachait-elle tant d'importance à l'apparence ? On la toucha du coude.

— J'ai eu la même réaction que vous, chuchota sa voisine. Tant de sex-appeal concentré dans la même personne, c'est pas juste. Puis ça s'est tassé, on s'habitue. C'est Jill Page, vous savez. On parle d'elle dans tous les journaux aujourd'hui. A cause de cette histoire de Japonais. Et vous, vous devez être Alice, l'amie de Trudy.

L'apprentie Jésus-Christ avait regagné sa place. Un brouhaha de commentaires bourdonnait dans la pièce.

— Je vais continuer à vous montrer des photos, annonça Jill Page. Je vous laisse à chaque fois le temps de réfléchir. Je rappelle qu'il s'agit d'exprimer une idée par la seule relation que vous établissez entre votre corps et un objet.

Même la voix était superbe, envoûtante. Fascinée, Alice disséquait les grandes lignes des traits, les courbes du corps. Le choc qu'elle avait reçu en découvrant cette femme ne s'atténuait que lentement. Jill Page possédait une beauté fascinante. Et cette beauté posait le même problème que la sauvagerie. Quel était le petit plus, le détail imperceptible qui provoquait la fascination ? Les proportions du buste ou la limpidité du regard ne suffisaient pas à l'expliquer. Il émanait d'elle quelque chose d'autre. Peut-être l'impression qu'il y avait danger à l'approcher ?

— Je m'appelle Anita Dubson, reprit la voisine d'Alice. Trudy m'a souvent parlé de vous.

— Enchantée, répondit Alice machinalement.

Elle regardait les diapositives que faisait défiler Jill Page avec sa télécommande. Excavatrice, perceuse électrique, scie à ruban, rotatives d'imprimerie... Rien que des machines. L'artiste restait fidèle à son obsession. Curieux, tout de même, la coïncidence. Tom assistait deux jours plus tôt à une de ses performances qui tournait mal et elle, Alice, se retrouvait en sa présence aujourd'hui.

Personne ne semblait inspiré par les clichés. Jill Page s'arrêta soudain sur la photo d'un gigantesque ventilateur de soufflerie industrielle. Elle détourna les yeux de l'écran afin de fixer les postulantes.

— Nous n'allons pas y passer la semaine, déclara-t-elle. Soit l'une de vous se décide à illustrer une idée sur cette image, soit je déclare la sélection terminée.

— Je suis volontaire, lança une grande blonde au dernier rang.

Elle se leva et se dirigea vers l'écran. Ses enjambées faisaient voleter sa robe blanche au décolleté plongeant. Serré à la taille, le vêtement s'évasait à partir des hanches en une large corolle froncée. Une tenue beaucoup trop légère pour la saison. La blonde se posta devant la photo du ventilateur.

— Ma parole, elle se prend pour Marilyn Monroe, souffla Trudy.

En effet, la fille s'était mise à agiter le bas de sa robe. Elle soulevait très haut le mince tissu puis le rabattait sur ses cuisses, tentant visiblement d'imiter la célèbre photo de l'actrice. Elle tournait en même temps sur elle-même, exhibant un slip réduit au strict minimum tout en poussant de petits gloussements excités. Elle s'arrêta brusquement avec une mimique de gamine prise en faute.

— Alors ? demanda-t-elle.

— Je crois que nous avons toutes perçu l'image que vous vouliez reproduire, dit Jill Page. Mais quelle idée est-elle sensée exprimer ?

— Euh..., balbutia la fille, visiblement décontenancée, je ne sais pas, moi... Si ! (Son visage s'illumina.) J'ai trouvé. C'est... (Elle plissa le front, cherchant ses mots.) C'est... c'est l'érotisme. Voilà, c'est ça. Le fait d'être désirée par tout le monde. D'être une actrice, quoi.

— Je vois. Intéressant.

— Qu'est-ce que je fais ? demanda la blonde.

Jill Page appela la photo suivante : une tondeuse à gazon.

— Vous retournez à votre place, merci. Qui vient illustrer celle-ci ?

Un lourd silence répondit.

— Oh, et puis j'y vais. chuchota soudain Trudy.

— Mais tu te fiches de l'art corporel, s'étonna Alice.

— On est venues pour ça, non ?

Elle se leva.

— Je suis volontaire.

Arrivée devant la tondeuse, elle se cambra en arrière en agitant l'avant-bras droit. On aurait dit une pêcheuse à la ligne cherchant à démêler son fil pris dans des branchages.

— Je dois avouer que je ne comprends pas, remarqua Jill Page.

Trudy se tourna avec une expression un peu vexée.

— J'ai un fouet. Je suis un dompteur. Je dompte la machine.

— J'en ai assez, je préfère sortir, murmura Alice à sa voisine. Rémunérées ou pas, ces expériences soi-disant psychologiques ne m'intéressent pas.

CHAPITRE V

Le petit type crispant tapotait toujours sur son clavier. Alice hésita dans le hall. Tom ne viendrait la chercher que dans une heure. Elle se dirigea néanmoins vers la sortie ; elle ne se voyait vraiment pas attendre là.

— Il fait froid, dehors, lança le type dans son dos.

Alice s'immobilisa, la main posée sur la poignée glacée du panneau vitré. C'était bien là son problème.

— Et je n'ai pas entendu votre bruyant ami revenir vous chercher, poursuivit l'agaçant. Mieux vaudrait patienter à l'intérieur.

Elle se retourna. L'exaspérant marchait vers elle. Un large sourire étirait ses lèvres étroites et une lueur espiègle brillait dans ses yeux clairs.

— Je me présente, dit-il en tendant la main. Professeur Harryman. Je dirige cet institut.

Elle regarda la main sans y toucher. Cet homme ne lui plaisait pas. Un arrogant malgré son aspect d'employé besogneux.

Harryman baissa les yeux sur sa main et son sourire s'élargit.

— Vous ne nous aimez pas, manifestement. Je le déplore. Vous me paraissez posséder le profil idéal pour mes expériences.

— Vous vous trompez. Je n'ai nullement l'intention de m'adonner à la danse du ventre devant des photos de cocotiers.

Il éclata de rire.

— Mais il ne s'agit nullement de cela. Dans le cadre de cette sélection, Jill ne sert que de révélateur. Je cherchais quelqu'un qui lui soit profondément opposé dans sa démarche artistique comme dans sa personnalité. Et vous voyez, j'ai trouvé.

— Et bien sûr, elle n'en sait rien.

Harryman soutint son regard. Ses iris avaient pris un reflet bleuté. Une teinte qui rappela à Alice la couleur de ses propres yeux.

— Je ne suis pas psychologue pour rien. J'ai l'habitude de manipuler les gens.

— Et de les prévenir ?

— Parfois, lorsque cela facilite la manipulation.

Il la prit par le bras et l'entraîna vers la cage d'escalier au fond du couloir.

— Venez, je vais vous montrer l'appareil que j'ai inventé. J'en suis assez fier... Et je crois qu'il vous intéressera.

A l'étage, l'escalier donnait sur un autre couloir. Des tubes au néon encastrés dans le plafond jetaient une lumière froide sur une moquette rase et des murs gris clair. Les deux portes percées en vis-à-vis dans chacune des cloisons étaient du même ton neutre. Harryman sortit un trousseau de la poche de sa blouse et enfonça une clé compliquée dans la serrure de la plus proche sur leur droite. Il poussa le battant et s'effaça devant Alice.

Aucune fenêtre dans la pièce carrée. Et le même gris sur les murs comme sur le sol. Pour tout mobilier, elle contenait un long fauteuil planté sur une colonne métallique. Le genre de matériel dont raffolent les dentistes. Un interrupteur, un gros bouton et une manette nickelée dépassaient de l'accoudoir droit. Fixé à un bras articulé, de l'autre côté, un coffret métallique abritait un magnétoscope et une réserve de cassettes.

L'une des cloisons, celle à gauche du fauteuil, n'était qu'un immense écran cathodique noir. Alice ne savait même pas que l'on pouvait en construire d'aussi grands.

— Impressionnant, n'est ce pas ? dit Harryman.

— Pour ceux qui aiment le style médical.

Le petit professeur éclata de son rire trop aigu. La jeune femme faillit le plaquer là. Tant pis pour le froid et la curiosité qu'il avait éveillée en elle.

— Vous n'avez décidément pas l'enthousiasme facile, lança Harryman d'un ton joyeux. Attendez de voir fonctionner mon invention.

Il prit place sur le siège, gigota des fesses pour bien se caler dans les bourrelets de cuir crème et poussa la manette. Avec un ronronnement de moteur électrique, le fauteuil pivota sur son support pour amener son occupant bien en face de l'écran. Harryman saisit les deux tampons ronds accrochés à l'appuie-tête et les plaqua sur ses tempes.

— L'interrupteur allume le moniteur, expliqua-t-il en le poussant. Le bouton permet de régler l'éclairage de la pièce. (Il le tourna et la lumière décrut légèrement.) Et maintenant, qu'allons-nous dessiner ?

— Dessiner ? répéta Alice sans comprendre.

— Oui, dessiner. Projeter serait d'ailleurs un terme plus exact. Alors, que voulez-vous voir ?

— Je ne sais pas... Un cercle ?

— Oh non ! répondit le petit professeur d'un ton outragé. Soyez gentille, trouvez quelque chose d'un peu plus compliqué.

— Très bien. Dessinez-moi une forêt.

— Excellente idée. (Il se frotta les mains de satisfaction.) C'est vraiment une excellente idée. Allons-y.

Le regard d'Harryman se braqua droit devant lui. L'écran vira au gris puis au bleu clair. Un fouillis d'arbres, de lianes et de plantes exotiques, très coloré, commença à couvrir ce fond. Cette végétation délirante et naïve semblait pousser peu à peu du sol de la pièce. Une tête de lion apparut entre deux fougères. Puis une femme nue, brune, au corps très blanc et aux seins lourds, couchée au milieu de fleurs géantes.

Alice surveillait l'étrange psychologue. Il restait parfaitement immobile. Elle vérifia, le magnétoscope ne fonctionnait pas.

— On dirait une toile du Douanier Rousseau, dit-elle.

— *Le Rêve,* murmura Harryman. Une pâle imitation, je n'ai aucun talent. Peut-être préférez-vous quelque chose de moins chargé ?

Elle n'eut pas le temps de répondre. Le centre du paysage s'éclaircissait. L'exubérance végétale s'effaçait, recouverte par des aplats de couleur qui dessinaient progressivement un tapis d'herbe. Deux hommes vêtus d'habits démodés discutaient à l'ombre de quelques arbres. La femme nue était restée, allongée à côté d'eux. Son aspect léché, stylisé, tranchait bizarrement sur les taches contrastées du tableau impressionniste. Harryman écarta les tampons molletonnés de ses tempes. Il s'ébroua et bondit hors du fauteuil.

— *Le Déjeuner sur l'herbe,* annonça-t-il. Un peu personnalisé, vous m'excuserez. Mais l'opulente personne qu'avait représentée Manet dans son œuvre m'a toujours paru par trop opulente. Ce goût du XIXe siècle pour la graisse féminine était franchement une horreur.

— C'est un point de vue, convint Alice d'un ton distrait.

Elle ne parvenait pas à détacher son regard de l'image sur l'écran. Trop de détails divergeaient de l'original pour qu'elle pût s'y tromper. Il ne s'agissait pas d'un montage à partir de reproductions.

— Enfin, je vous intrigue ! lança Harryman. Je me lassais de vous agacer.

Alice se tourna vers lui. Dans la faible lumière, les yeux pâles du petit professeur semblaient luire d'un éclat argenté. Son sourire était à la fois ironique et désabusé.

— Comment vous faites ça ? demanda-t-elle.

— J'imagine. Ou plutôt, je me souviens. J'ai beaucoup plus de souvenirs que d'imagination. Mon appareil s'occupe du reste. Vous voulez essayer ?

La jeune femme hésita. Oui, elle avait envie d'essayer. Ne serait-ce que pour vérifier qu'il n'y avait pas de trucage. En même temps, quelque chose dans l'expression d'Harryman la déconcertait et l'inquiétait. L'espèce d'ennui qu'il dégageait, probablement. Comme s'il avait déjà vécu cette scène et en connaissait d'avance le résultat.

— Vous n'avez rien à craindre, poursuivit le psychologue du ton indifférent d'une hôtesse d'accueil qui répète pour la centième fois le même renseignement. Vous n'attraperez pas d'escarres dans ce fauteuil confortable. Quant à ma machine, elle ne traduit en images qu'une gamme d'ondes très particulière parmi celles que votre cerveau émet. Croyez bien que je le regrette, mais elle est parfaitement incapable de révéler vos pensées profondes. En fait, il faut une certaine pratique et beaucoup de volonté pour en tirer un misérable cercle.

Alice inspira profondément. Elle scruta le visage du petit homme et n'y lut qu'une indifférence sarcastique et vexante.

— Très bien, dit-elle, je me lance. Tenez-moi ça, s'il vous plaît.

Elle enleva son manteau et lui tendit d'un geste impérieux. Il le jeta négligemment sur son épaule. Sa robe de laine se retroussa lorsqu'elle s'assit sur le fauteuil mais Harryman ne regarda pas ses jambes.

Pas même un petit coup d'œil instinctif. Si ce type l'avait choisie parce qu'il nourrissait des intentions libidineuses à son égard, il cachait bien son jeu. Alice essaya la manette. Elle la poussa en avant et le dossier se redressa. Elle se cala confortablement.

— Qu'est-ce que je dois faire ?

— Tout d'abord me laisser régler la hauteur de l'appuie-tête. Voilà... Maintenant, vous allez presser de vos blanches mains méfiantes les capteurs contre vos tempes. Vous constaterez qu'ils jouent librement et que vous pouvez les écarter quand bon vous chante. Il ne vous reste plus qu'à vous concentrer sur ce que vous voulez voir apparaître à l'écran. A votre place, je commencerais par effacer ce qui s'y trouve.

Alice s'était attendue à éprouver un léger picotement au niveau des tampons. Mais elle ne sentait que le contact soyeux du tissu qui les enveloppait. Elle fixa l'image devant elle et ferma les yeux. Les grandes formes du tableau restèrent marquées en sombre derrière ses paupières. Piquetées de points orange, elles étaient cernées d'un trait de lumière.

Alice chercha à contrôler ces taches de couleur. Elle les imagina qui se diluaient en une surface unie. Rien de tel ne se produisit mais les taches s'inclinèrent sur le côté en s'étirant. Des nuages d'étincelles, comme des projections d'aérosol, commencèrent à les voiler sans que la jeune femme les ait invoqués. Des espèces de choux-fleurs apparurent. Ils bouillonnaient. L'ensemble était moche, en constant bouleversement et surtout, il se foutait de ce que Alice pouvait bien désirer voir.

Avec un soupir, elle rouvrit les yeux. Le moniteur affichait toujours *Le Déjeuner sur l'herbe* version Harryman.

— Je ne comprends pas, souffla Alice.

— Ne vous inquiétez pas, c'est normal, répondit le professeur. Vous deviez commettre cette erreur pour bien saisir le fonctionnement de mon appareil. Il ne réagit pas aux images rétiniennes. Celles que perçoit votre œil et celles qui semblent s'agiter derrière vos paupières. Il lui faut du mental et c'est un exercice totalement différent. Acceptez-vous de suivre mes conseils ?

— Allez-y, grogna Alice. Quand j'en aurai marre d'être manipulée par un psychologue, je m'en irai.

— Vous êtes décidément une personne charmante. (Il émit son petit rire.) Bon ! Première chose, ne pas fermer les yeux. Au contraire, fixez l'écran. Fixez-le bien ! Dirigez sur lui toute votre attention. Jusqu'à oublier tout le reste. Il doit devenir une émanation de votre volonté. Si vous vous concentrez suffisamment, vous aurez l'impression que vous parvenez, si vous le voulez, à le déplacer dans l'espace.

Alice suivit ses instructions. En vain. Elle continuait à voir la cloison, à sentir la présence du nabot pédant à côté du fauteuil, à entendre le léger sifflement de sa respiration. La lumière d'ambiance la gênait. Elle posa ses doigts sur le bouton pour plonger la pièce dans le noir. La main d'Harryman l'arrêta.

— Est-ce absolument nécessaire ? demanda-t-il.

Sans daigner répondre, elle fit ce qu'elle avait

décidé. L'éclairage baissa et l'air parut s'épaissir, acquérir une densité menaçante. Alice n'y prêta pas attention. Elle baignait dans la lueur colorée diffusée par l'écran. Elle plissa les paupières, se concentra. Nettement délimité dans son cadre d'obscurité, le tableau de Manet lui donna l'impression de reculer. Puis d'approcher jusqu'à envahir tout son champ de vision.

— Ça marche, murmura-t-elle.

— Parfait ! Imaginez que vous le badigeonnez de gris.

Elle essaya. Ses yeux la piquaient. Ils semblaient vouloir jaillir de leurs orbites. La scène champêtre s'effaça. Elle décida aussitôt de tracer un cercle rouge au centre du fond uni. Il apparut. Elle le voulait plus grand. Il grandit. Des rayons ! Voilà, comme ça. Quatre longs, en haut, en bas et de chaque côté, à l'extérieur de la courbe. Et quatre plus courts, entre eux. Elle épaissit ses traits, remplit son soleil d'un jaune acide. Elle était très excitée. Plus qu'excitée, presque en transe. C'était si facile ! Maintenant, des arbres. Ou des montagnes plutôt. Oui, des montagnes. Bleues avec des sommets enneigés...

Harryman poussa l'interrupteur qui commandait son appareil et les ténèbres lui firent mal. Et peur. Une peur atroce. Une terreur de petite fille perdue dans une nuit trop vaste et peuplée de danger. Elle trouva d'un geste instinctif le variateur et la lumière trop crue des tubes encastrés dans le plafond l'éblouit. Sa crainte et son sentiment de faiblesse disparurent. La colère lui nouait la gorge, une fureur d'enfant à qui l'on vient de ravir son jouet. Elle voulut se lever mais les tampons pressés contre ses tempes s'emmêlèrent dans ses cheveux. Elle se dégagea d'un mouvement rageur de la tête, bondit sur ses pieds.

Harryman était plus petit qu'elle. Plus chétif, aussi. Elle avait envie de l'étrangler mais il soutint son regard de ses yeux transparents, totalement inexpressifs. A l'évidence, il s'ennuyait à mourir et rien de ce qu'elle pourrait dire ou faire ne le toucherait. C'était vexant, terriblement vexant. Il sortit son trousseau de la poche de sa blouse et détacha l'une des clés de l'anneau.

— Elle ouvre la porte d'entrée et celle de ce laboratoire, expliqua-t-il d'un ton indifférent. Vous êtes libre de venir ici à toute heure du jour ou de la nuit. L'institut vous versera un salaire de trois cents dollars par semaine et je visionnerai tous les samedis les bandes que vous aurez enregistrées. Là aussi, vous avez toute liberté. Cette expérience n'a pas d'autre but que de démontrer les possibilités créatives qu'offre mon appareil à un véritable artiste. Vous êtes très douée et n'avez manifestement pas besoin de moi pour l'instant. Toutefois, si vous butez sur un problème, sachez que je réside ici même. La porte suivante dans le couloir. Je me tiens à votre entière disposition.

Il leva la clé, attendant qu'elle tende la main dessous. Alice ne bougea pas. Ils restèrent un long moment face à face, parfaitement immobiles. Puis Harryman sourit et une infime lueur de vie passa dans son regard.

— Un psychologue prend toujours plaisir à vérifier qu'il ne s'était pas trompé, dit-il avec une pointe d'amusement. Vous possédez indéniablement une forte personnalité. Au moins aussi forte que celle de Jill Page dans un autre registre. Et si je puis me permettre, votre manque de politesse, ou d'hypocrisie, s'avère reposant. Même si vous ne semblez pas apprécier que je me conduise avec la même spontanéité que vous.

Alice sourit à son tour. Sa colère s'estompait.

— D'accord, lança-t-elle en tendant la main. J'accepte votre offre. Et ce type de relations. Je n'ai rien à foutre de vous. Ni vous de moi.

Il laissa tomber la clé au creux de sa paume. Ses yeux avaient pris une teinte dorée. Ils pétillaient.

— Venez, dit-il. La séance de sélection doit être terminée et j'aimerais que vous rencontriez Jill. Son propre laboratoire se trouve juste en face du vôtre.

CHAPITRE VI

Ils retrouvèrent Jill Page dans le hall. Elle discutait avec Anita, Trudy et la grande fille blonde qui s'était prise pour Marilyn Monroe. Les autres postulantes avaient disparu. Harryman attrapa l'artiste par le bras.

— Jill, je te présente Alice Godsend. Je l'ai choisie pour travailler sur la deuxième machine.

— C'est donc elle la candidate sélectionnée ? s'étonna Trudy.

— On peut savoir sur quels critères ? demanda Anita.

Ses sourcils épilés légèrement froncés, elle posait un drôle de regard sur le petit professeur. Elle avait les mêmes cheveux noirs, les mêmes rides aux coins des yeux que Trudy. Mais autant cette dernière gardait l'allure d'une éternelle étudiante, autant Anita aurait facilement pu passer pour une femme d'ambassadeur. Elle semblait intriguée, perplexe.

— Désolé, répondit Harryman. Mais vous révéler cette information risquerait de fausser le résultat de l'expérience. Vous recevrez toutes un chèque de dédommagement pour votre déplacement.

— Vous pratiquez aussi l'art corporel ? demanda Jill Page à Alice.

— Non, je peins. Je m'intéresse à l'hyperréalisme.

— Je viens de décider que je présenterais une esquisse ce soir au *Subart Workshop*. Je peux compter sur vous, n'est-ce pas ?

— Je ne sais pas, je...

— Allez, dis oui, la coupa Trudy. Pour une fois que l'on est invitées dans l'un des endroits où les choses se passent.

— Cela m'intéresserait beaucoup aussi, observa Anita.

Jill Page jeta un bref coup d'œil aux deux femmes. Apparemment, elle n'avait pas prévu de les inclure dans l'invitation.

— C'est entendu, je vous accompagne, céda Alice.

— Attendez-moi cinq minutes, alors, demanda Jill Page. Je dois préparer les cartons.

Elle se fendit d'un sourire puis partit vers le couloir

— Elle est formidable, hein ? dit Trudy.

Alice ne répondit pas. Elle connaissait les trésors d'enthousiasme que possédait son amie. La grande blonde se mêla à leur petit groupe.

— Je ferai partie du show, ce soir, affirma-t-elle avec fierté. Vous savez, moi aussi je m'appelle Marilyn.

Alice remarqua qu'Anita fronçait encore plus les sourcils. Dans le lointain, une batterie d'artillerie lourde se mit à tirer.

— Je crois que votre ami arrive, ma chère Alice, en déduisit Harryman avec un sourire.

Un silence s'établit. Tout le monde écoutait la guimbarde de Tom approcher. Le récital méritait l'intérêt. Le moteur qui propulsait la voiture produisait une variété étonnante d'explosions différentes. Il y en avait des aiguës, des graves, des longues, des en rafales et même des chuintantes.

Le jeune journaliste finit par apparaître dans le hall en se battant la poitrine avec les bras. Tout le monde le regardait.

— Ça se réchauffe pas ! lança-t-il.

Alice vit soudain son compagnon se figer. Il avait la bouche ouverte, les yeux braqués vers le fond de la pièce. Elle se retourna. Jill Page arrivait, quelques rectangles de bristol entre les mains. Sa démarche rehaussait sa beauté. Comme si elle dansait au ralenti. Sous le pull et le pantalon lâche, toutes les courbes du corps se laissaient deviner puis s'estompaient. Les serres de la jalousie déchirèrent à nouveau le ventre d'Alice.

— Tu es en retard, cracha-t-elle.

Tom secoua la tête.

— Non... Non, je ne crois pas.

— Il peut venir avec nous, lui aussi, ce soir ? demanda Trudy.

Jill Page regardait Tom. Elle tendit les bristols à Anita.

— Les cartons d'invitation valent pour deux personnes. Vous m'excuserez, mais je dois travailler maintenant.

— Bien sûr, bien sûr, nous comprenons, acquiesça Trudy.

— A ce soir, souffla Tom.

— Je serai là, moi aussi, lui dit Marilyn.

Jill Page se tourna vers Alice :

— Harryman vous a-t-il proposé d'essayer son invention ? Fascinant, n'est-ce pas ?

La nuit semblait s'être faite cristalline afin de rendre encore plus criardes les enseignes de Broadway. La tête appuyée contre la vitre de la portière, Alice les regardait défiler en regrettant d'être là. Une colère et une angoisse sourdes l'oppressaient. A côté d'elle, Tom conduisait penché en avant, mâchoires serrées. Ils avaient passé l'après-midi à se chamailler. Non. En réalité, elle avait passé l'après-midi à lui chercher noise. Elle ne parvenait pas à lui pardonner sa réaction face à Jill Page.

Le jeune homme avait fini par se réfugier sous la voiture, ce qui leur valait de rouler dans un véhicule au pot d'échappement réparé. Alice, elle, n'avait pas réussi à avancer sur son tigre. Elle n'avait pas véritablement essayé. L'appareil de Harryman l'obsédait : il offrait tant de possibilités. Elle rongeait son frein depuis qu'elle avait quitté l'institut. Seuls son amour-propre et son bon sens l'empêchaient de courir brancher l'appareil. Le petit psychologue n'attendait que cela. Mieux valait ne pas lui montrer à quel point elle était fascinée.

— Vous allez continuer à tirer la gueule longtemps ? demanda Trudy en appuyant ses coudes sur le dossier du siège avant.

Elle portait son épais blouson matelassé et des gants de ski argentés. Le froid glacial qui régnait dans la voiture rougissait ses pommettes.

Un silence boudeur lui répondit.

— Je ne comprends pas la vie, reprit la femme brune. Deux personnes faites l'une pour l'autre ont la chance incroyable de se rencontrer et que font-elles ? Elles s'emploient à tout bousiller.

— Fous-nous la paix, grogna Alice.

Trudy s'emporta brusquement. La colère et la tristesse tordirent sa bouche et lui embuèrent les yeux.

— Mais qu'est-ce que t'as aujourd'hui ? On était quinze à jouer au clown et c'est toi qui obtient le boulot sans coup férir. Et pas n'importe quel boulot. Payée pour venir t'amuser quand bon te semble avec une machine de science-fiction. J'aimerais quand même que tu m'expliques pourquoi tu te conduis depuis comme si tu venais d'attraper le cancer.

Alice se mordit la lèvre inférieure. Trudy avait raison.

— Merde, poursuivait cette dernière. Tu te rends compte, des fois, que tu as de la chance ?

— C'est ce qui me gêne.

Alice s'aperçut en le disant que son angoisse venait effectivement de là. L'offre de Harryman représentait une véritable aubaine. Rien ne justifiait tous les efforts qu'il avait entrepris afin de la convaincre.

— Quoi, la chance te gêne ? Tu regrettes aussi sûrement d'avoir deux jambes et pas de bec-de-lièvre.

Alice se sentit sourire.

— Non. J'entendais par là que la proposition de ce psychologue me paraît trop belle. J'ai l'impression qu'elle cache quelque chose.

Tom continuait à fixer la route. Il sortit légèrement la tête du col relevé de sa canadienne.

— Ça ne me surprend pas, moi, que tu lui plaises.

Emue, Alice ne sut que répondre. Elle posa la main sur l'épaule du garçon. Il se tourna légèrement pour l'observer du coin de l'œil.

— D'ailleurs, il suffit d'examiner les cobayes qu'il engage pour se rendre compte que cet homme a beaucoup de goût.

— Imbécile, grogna Alice mais ses doigts frôlèrent le cou du jeune journaliste.

A sa manière, Tom posait cependant la bonne question : pourquoi Jill Page et Alice Godsend ? Qu'avaient-elles en commun qui l'intéressait ? Il ne s'agissait pas de sexe, elle l'aurait juré. Elle se demandait même si ce type était hétérosexuel.

Mais de quoi s'agissait-il alors ?

— On arrive, annonça Tom. (Il tapota la main d'Alice, sur son épaule.) On essaie de bien s'amuser, d'accord ?

— D'accord, souffla-t-elle sans conviction.

Ils n'eurent aucun mal à se garer. La soirée à laquelle Jill Page avait convié Alice se tenait dans un parking souterrain, le sous-sol d'un immeuble promis à la reconstruction dans la partie branchée du Lower East Side. Quelques jeunes créateurs d'avant-garde s'étaient associés et en avaient obtenu la jouissance en attendant la démolition. Le promoteur avait même accepté d'en fermer une partie pour qu'ils créent un lieu d'exposition et de rencontre : le *Subart Workshop*. Une excellente opération. Il déduisait presque entièrement les faux frais de ses impôts et cet acte de mécénat s'avérait extrêmement rentable au niveau image de marque. Une bonne image de marque coûte si cher de nos jours.

Alice serra son manteau autour d'elle en sortant de la Mustang. Un courant d'air glacé lui piquait les joues. Une voiture vint se ranger non loin de la leur. Un coupé dans le style des années soixante. Le conducteur donna l'impression de s'arrêter volontairement sous une des rares rampes d'éclairages suspendues au plafond bas pour le faire admirer.

— Ford Thunderbird, murmura Tom avec respect. Et sacrément bien retapée. T'as vu ces chromes ? Et cette laque beige ?

Alice haussa les épaules. Elle ne portait aucun intérêt aux modes de transport démodés.

— C'est la voiture d'Anita, les informa Trudy. Celle qu'elle réserve aux grandes occasions.

Anita sortit côté passager. Elle contourna l'imposant coffre arrière de la Ford et se dirigea vers eux. Elle portait un long manteau de velours noir sur un pantalon et un blouson en cuir balafrés de fermetures Eclair. Un homme d'une trentaine d'années apparut à son tour et verrouilla les portières.

— Tu es splendide, ma chérie ! s'exclama Trudy en l'embrassant.

— Skippy Dolphin, remarqua Tom.

— Perspicace, convint Anita avec un sourire.

— Qui est-ce ? demanda Alice.

— Un jeune créateur de mode, expliqua Tom. Jeune mais cher.

— Je prédis l'avenir, fit Anita d'un ton amusé. C'est une activité extrêmement lucrative. On y va ?

Le *Subart Workshop* occupait tout le fond du souterrain. Reproduit en trompe-l'œil sur la cloison qui fermait le lieu d'exposition, le parking donnait l'impression de garder ses proportions originales. Une porte d'ascenseur servait d'entrée à la galerie.

— Je m'appelle Jeremy Glenn, dit le compagnon blond, tout en longueur, d'Anita.

Il avait le teint très pâle et s'habillait lui aussi avec recherche : pardessus en poil de chameau sur costume crème. Il pressa le bouton marqué d'une flèche à droite de la porte. Les deux panneaux métalliques coulissèrent avec un chuintement.

Ils pénétrèrent dans une véritable cabine d'ascenseur. Adossé à la paroi d'en face, un videur en combinaison fourrée montait la garde dans l'espace d'environ trois mètres sur deux.

— Vous avez vos invitations ? grogna-t-il en décroisant les bras.

— Quelle question ! répliqua Anita. (Elle sortit les cartons de son sac.) C'est Jill Page qui nous a personnellement demandé de venir.

L'homme jeta à peine un coup d'œil aux bristols.

— Ça va, vous pouvez entrer. Vous avez de la chance. J'me gèle, ici.

Il s'écarta de la double porte contre laquelle il s'appuyait et pressa à son tour un bouton. Les battants coulissèrent et les cinq visiteurs s'arrêtèrent dans le halo légèrement orangé diffusé par un lampadaire. Ils cherchaient à se repérer. Le décorateur chargé de l'aménagement du parking avait gardé les murs de béton brut, comme les piliers de section carrée qui soutenaient le plafond. Les places de stationnement et les voies de circulation restaient marquées au sol à la peinture jaune. Ornée de lèvres pulpeuses, une énorme bouche d'aération assurait le chauffage. Elle remplissait parfaitement sa fonction, il régnait une chaleur plus que confortable dans la vaste salle. Il s'avérait difficile d'estimer ses dimensions car elle n'était éclairée que par zones. Des sculptures, des tableaux et des tapisseries occupaient les taches de lumière. Beaucoup d'œuvres abstraites. Pour la plupart d'excellente qualité, dut s'avouer Alice.

Sur leur droite, quatre personnages de plâtre volontairement bâclés s'appuyaient à un comptoir. Un épais tapis de sciure souillée les entourait.

Un autre bar se dressait en vis-à-vis de cette scène figée. Un bar beaucoup plus long. Une chance car il était littéralement assiégé. Stricts costumes croisés et rutilantes coiffures iroquoises s'y côtoyaient fraternellement dans le but évident d'envoyer à l'asile les deux serveurs débordés.

— Tu sais que cet endroit marche très bien, dit Tom en glissant son bras sous celui d'Alice. Les types qui l'ont monté ont joué sur la corde « Art Moderne Vivant Au Rythme Trépidant De La Cité En Perpétuelle Renaissance ». Tu vois le genre. Vive New

York et ses chantiers, quoi. Résultat, ils ne font même plus d'expos. Rien que des vernissages. Ils les corsent toujours d'un événement un peu spectaculaire et ils vendent tout à chaque fois. Ils ont trouvé le filon.

— Ils ont aussi du talent, remarqua Alice d'un ton un peu envieux. Les pièces que je vois méritent le succès.

— Tes tableaux sont au moins aussi bons.

— Merci, Tom. (Elle émit un petit rire.) Tu es un amour mais tu n'y connais rien.

— Vous la voyez, vous, Jill Page ? demanda Anita.

Elle plissait les yeux. Hors des faisceaux des spots, la salle était plongée dans une lueur diffuse. A plus de quelques mètres, il devenait difficile de distinguer autre chose que des silhouettes.

— Pour le moment, c'est le vestiaire que j'aimerais voir, répondit Trudy. Je crève de chaud dans mon blouson.

— Bienvenue au *Subart Workshop*, fit une voix chaude.

Jill Page entra dans le cercle de lumière. Son survêtement brun et informe n'arrivait pas à l'empêcher d'être très belle. Tom se précipita vers elle, tout sourire. Alice sentit sa colère se remettre à frémir.

— Nous n'avons pas été présentés tout à l'heure, dit Tom. Je suis Tom Hopkins, le journaliste. Je serais très honoré si vous acceptiez de m'accorder une interview.

— Jamais, répondit sèchement Jill. (Elle se tourna vers Alice :) Je suis heureuse que vous soyez venue.

— Merci.

Jill Page la prit par le bras.

— Je vais vous montrer où déposer vos manteaux. Je suppose que vous vous intéressez peu à l'art corporel. J'espère tout de même que vous comprendrez mieux ma démarche après l'esquisse de ce soir.

— Vous vous passionnez toujours pour le temps ? demanda Tom en se glissant entre les deux femmes.

Jill Page ne lui répondit pas et le jeune homme n'insista pas. Alice se retourna. Elle sentait un regard peser sur sa nuque. Il appartenait à Anita. La grande femme brune sourit et détourna les yeux.

Le vestiaire se trouvait tout au bout d'une allée marquée SORTIE et délimitée par des bandes blanches peintes sur le sol. Alice se serait bien arrêtée pour étudier les œuvres exposées de part et d'autre. Ses compagnons ne lui en laissèrent pas le loisir. Ils atteignirent un renfoncement dans un coin obscur du parking. Assise à une petite table de camping, une fille aux cheveux châtains lisait un roman policier à la lueur d'une lampe de bureau.

— Mais c'est Judith ! s'exclama Tom.

— Encore vous ! répondit-elle en levant un regard maussade.

— Eh oui. Alors, mon chou, on fait des heures supplémentaires chez les copains ?

— Il faut bien manger et les suicides ne nourrissent pas. Alors, ça ou autre chose... (Elle haussa les épaules.) En fait, je préférerais autre chose. Si vous saviez comme l'art m'ennuie. (Elle lui adressa un sourire las.) Il m'ennuie presque autant que les grandes gueules. Alors soyez gentils. Filez-moi vos pelures et foutez-moi la paix.

Ils lui passèrent leurs manteaux qu'elle suspendit à un câble d'acier tendu entre les deux murs de sa niche.

— Venez, dit Jill en prenant à nouveau Alice par le bras. Je vous ai fait préparer une table. Très sincèrement, cet endroit ne se prête pas aux actes d'art corporel. Pas assez intime, l'attention s'y perd. Je n'y présente pas d'œuvre aboutie, rien que des esquisses.

Tom revint à la charge :

— Que cherchez-vous à exprimer ?

Alice perçut la crispation agacée de sa voisine.

— La réponse m'intéresse, dit-elle.

Jill Page se détendit.

— Il ne s'agit pas d'exprimer, plutôt de provoquer une émotion ou une réflexion chez le spectateur. De le confronter violemment à une réalité qu'il a déjà au fond de lui mais qu'il refoule ou qu'il ignore.

— Mais pourquoi n'interprétez-vous plus jamais personnellement vos créations ? insista Tom.

Jill s'arrêta pour lui faire face. Elle se cambra, mains serrées aux hanches, seins pointés vers lui. Ses immenses yeux verts plongèrent dans les siens. Alice vit l'homme qu'elle aimait avaler sa salive et se mettre à respirer plus vite. La jalousie commençait à prendre le goût de la haine. Une haine qu'elle ne savait contre qui tourner.

— Parce que mon physique ne s'y prête pas, gronda Jill Page. Vous comprenez ?

Jeremy Glenn détacha son bras de celui d'Anita.

— Moi, je comprends, dit-il. Mais vous ne devriez pas regretter votre beauté. C'est un cadeau que vous offrez aux autres.

— Aux hommes, précisa Jill.

Il lui adressa un sourire ouvertement enjôleur.

— C'est déjà pas mal, non ?

Jill avança d'un pas. Elle le touchait presque. Elle leva la tête et il se voûta pour que leurs regards se rencontrent.

— Vous avez beaucoup de charme, souffla-t-elle d'une voix rauque. Il faut que je vous présente une amie, vous vous plairez.

Un éclair passa dans ses yeux verts et elle se retourna, giflant de son épaisse chevelure le visage de Glenn.

— Je vais vous installer. Vous m'excuserez mais j'ai quelques préparatifs à terminer. Je vous retrouverai ensuite.

CHAPITRE VII

En guise de table, Jill les conduisit à un plateau de bois nu posé sur deux tréteaux. Depuis son échange avec Tom et Jeremy Glenn, elle restait sous tension. Proche du mur du fond et donc loin du bar, l'endroit était tranquille. Une sculpture l'isolait du reste de la salle tout en lui fournissant de la lumière. Elle faisait penser à une maquette des principaux gratte-ciel de New York. Dissimulés dans un socle noir mat, des spots éclairaient de l'intérieur les parallélépipèdes de résine transparente hauts comme un homme debout. Ecaillés, fendillés, leurs sommets fracturés, ils semblaient avoir souffert du gel. Des éclats s'amoncelaient autour de leurs pieds.

Deux personnes profitaient déjà de la quiétude du lieu : une blonde platinée, à la robe trop étroite pour sa volumineuse poitrine, et un jeune cadre dynamique à la cravate en bataille. Une paille plantée dans le nez, il inhalait une ligne de poudre blanche tracée sur la gorge haletante de sa compagne.

— Fichez le camp d'ici, cracha Jill Page.

Le cadre cocaïnophile leva la tête. Ses yeux s'exorbitèrent lorsqu'il découvrit la jeune femme. Il redressa sa silhouette calibrée en salle de sport et exhiba son plus beau sourire professionnel.

— Vous êtes divine, roucoula-t-il.

— Ta gueule, connard. Je t'ai dit de foutre le camp.

Elle ne le toucha pas mais attrapa sans douceur le bras de la blonde.

— Emmène ton client, pouffiasse, avant que je lui écrase les couilles.

La fille en resta bouche bée. Désorienté, son compagnon se tourna instinctivement vers les hommes qui escortaient cette furie. Tout sourire, Tom prit une voix de castrat :

— Attention, elle tient parole.

— C'est des dingues, siffla la blonde. Partons d'ici.

— T'as raison, poupée. On va pas se laisser gâcher la soirée par des tarés pareils.

Jill Page les regarda se perdre dans la foule. Elle paraissait avoir oublié l'existence d'Alice et de ses amis. Trudy l'attrapa par le coude au moment où elle allait partir à son tour.

— Nous vous gardons une place.

Jill baissa les yeux sur la main puis les plongea dans ceux de Trudy. Ils ressemblaient à deux émeraudes serties dans un masque mortuaire. Blême, Trudy la lâcha et Jill s'évanouit à son tour dans la cohue.

— Elle a un problème, cette fille, grogna Jeremy Glenn.

— J'avais pourtant cru comprendre qu'elle te plaisait, remarqua Anita d'un ton aigre.

— Oh, ma chérie, je me montrais juste poli.

Il voulut passer un bras autour de ses épaules mais elle l'esquiva. Elle fouilla dans l'une des nombreuses poches de son blouson.

— Eh bien, reste-le. Tu vas aller nous chercher à boire !

Trudy s'approcha d'Alice.

— Elle m'a fait peur. Elle me regardait comme si elle réfléchissait à la meilleure manière de m'assassiner.

Alice se laissa tomber sur la chaise la plus proche, tournant le dos à la sculpture. Celle-ci projeta son ombre sur un large volet roulant à quelques mètres de leur table. Créés par les craquelures dans le plexi, des gribouillis de lumière cernaient sa silhouette. Elle vit l'ombre de Tom s'asseoir à côté de la sienne et coller sa bouche contre son oreille.

— Cette petite virée culturelle s'annonce riche en émotions.

Elle ne répondit pas. Elle aurait préféré qu'il parte avec Jill Page. Qu'il passe la soirée avec Jill Page ! *Qu'il couche avec Jill Page !* Elle aurait couru le risque qu'il ne revienne pas mais elle aurait su. Tandis que là, elle ne savait rien. Rien ne l'aidait à lutter contre la sensation que pour Tom Hopkins, Alice Godsend ne représentait qu'un pis-aller.

Anita finit par trouver ce qu'elle cherchait dans une toute petite poche sur sa manche gauche. Serrant le billet plié en huit entre l'index et le majeur, elle l'agita sous le nez de Glenn.

— Tiens. Ramène-nous une bouteille de whisky et des verres.

Le jeune homme hésita, mâchoire crispée, fixant la coupure.

— Très bien, dit Anita avec un haussement d'épaules. J'y vais.

Jeremy attrapa sa main.

— Non, laisse tomber. Je m'en occupe. (Il garda la main dans la sienne.) Je te dois des excuses.

Anita eut un sourire triste.

— Il arrive toujours un moment où il faut cesser de faire semblant.

Jeremy se pencha pour l'embrasser au coin des lèvres et elle ne résista pas. Mais quand il fut parti, elle s'assit avec un soupir en face d'Alice.

— Et voici la fin d'une torride histoire d'amour et d'argent.

— Pourquoi ? s'étonna Tom. Parce qu'il est tombé quelques minutes sous le charme de cette femme ? Je peux vous assurer que cela ne signifie rien. C'est comme une décharge d'adrénaline ou je ne sais quoi. Enfin, un truc bêtement physique...

— Là, tu es en train de prêcher pour ta propre paroisse, remarqua Alice.

— De toute manière, vous vous trompez, dit Anita. Je ne romps pas parce qu'il a envie d'elle mais parce que *elle* ne veut pas de lui.

Trudy donna un petit coup de coude à son amie.

— Eh, c'est pas une bonne raison, ça. Je ne crois pas qu'il y ait un seul mec sur Terre qui lui plaise.

— Je m'en fous. Tout ce que je sais, c'est que je ne veux plus payer pour obtenir quelque chose qu'elle ne daigne même pas ramasser.

— En réalité, vous profitez de l'occasion, fit Alice.

Anita soutint son regard.

— Oui, il fallait que cette situation cesse. Le fait que je l'entretienne faussait tous nos rapports. Que vaut l'amour s'il n'a aucune chance de prendre un jour un grand A ?

— Je comprends. (Alice se tourna vers Tom avec un sourire mi-figue, mi-raisin :) Peu d'illusions résistent à l'éclat aveuglant de la beauté de Jill Page.

Le garçon secoua la tête.

— Tu prends tout trop au sérieux. Des fois, ça devient fatigant.

Les deux amants se dévisagèrent. Tom semblait réellement furieux et blessé. Alice céda la première. Anita se pencha vers elle au-dessus de la table. Sa voix était sourde :

— En tout cas, vous devriez vous méfier d'elle.

Un rictus excédé tordit la bouche d'Alice.

— Vous avez lu ça dans la dernière boule de cristal que vous a vendue Trudy ?

La femme brune resta impassible. Elle n'avait rien d'une illuminée.

— Non. Je le sens. C'est mon don, mon fardeau et mon gagne-pain. Elle souffre et sa souffrance pèse sur nous. Mais vous devez encore plus vous méfier de ce petit professeur.

— Harryman ?

Alice vit les sourcils noirs se hausser, sobrement interrogateurs. La mimique l'excéda. Mais pour qui se prenait cette richarde ? Glenn revint à cet instant avec une bouteille de whisky et cinq verres posés sur un plateau. Trudy s'en empara et servit tout le monde.

Alice vida son verre cul sec et le tendit à nouveau. L'alcool lui brûlait la gorge et inondait ses yeux de larmes mais dans sa brutalité, la sensation offrait l'immense avantage d'être simple. Elle voulait de la simplicité, bon sang. Elle en avait assez de se poser des questions. Assez qu'on la manipule. Assez qu'on sème le doute dans ses sentiments. Assez que l'on invoque de sombres menaces...

Le volet roulant, devant eux, se mit à grincer. Un second, perpendiculaire, s'ouvrit en même temps. Ils révélaient un coin de parking plongé dans la pénombre. On distinguait à peine une silhouette claire, allongée. Un bruissement retentit, un froissement de soie amplifié et maintenu. La lumière monta doucement. Elle émanait de projecteurs incorporés à un échafaudage métallique. Ils formaient un U renversé au-dessus de la forme blanche.

— Eh, c'est la blonde pulpeuse qui participait avec vous à la sélection de ce matin, remarqua Tom. Comment s'appelle-t-elle, déjà ?

— Marilyn, répondit Trudy.

— Ah oui, c'est vrai. Le nom lui est d'ailleurs visiblement monté à la tête.

La foule disséminée dans le *Subart Workshop* s'était rapprochée mais les conversations continuaient à aller bon train. Marilyn portait la même tenue qu'au *Panpsychological Institute.* Jambes et bras écartés, pieds et mains touchant le sol, elle était couchée sur un tapis roulant. Cette position lui donnait un aspect fragile, pathétique. Alice se demanda pourquoi. Puis elle se souvint. Elle avait vu cette posture dans un film français se passant au Moyen Âge. L'attitude brisée des victimes de la roue.

Au bout du tapis roulant, on avait posé par terre et calé par des poids un gros ventilateur. On avait aussi enlevé la grille qui aurait dû envelopper ses pales. Son axe en forme de pointe d'obus était braqué sur le ventre de Marilyn. Le froissement de soie émanait de deux gros haut-parleurs appuyés au mur du fond.

Quelqu'un s'assit silencieusement à côté d'Alice. Jill Page ! Imperceptiblement, l'éclairage baissait dans la salle.

— Je tiens à vous prévenir que c'est une exhibition à laquelle vous allez assister, murmura-t-elle.

Alice s'en voulut mais elle se tourna vers Tom pour voir comment il réagissait au retour de la briseuse de cœurs. Apparemment, il les laissait poliment à leur conversation. S'étant légèrement écarté, il regardait droit devant lui.

— Mais Marilyn a envie de s'exhiber, poursuivait Jill Page à voix basse. Besoin, même. Comme beaucoup de gens. Ce qui la rend intéressante, c'est qu'elle le fait par le biais d'une image qui appartient à l'inconscient collectif. (Elle rit. Un ricanement amer, sans agressivité.) J'espère que vous serez choquée. Ou remuée, si vous préférez. Mon but est là. Mais n'est-ce pas le but de l'art en général ?

— Peut-être, admit Alice.

Un bruit de houle vint couvrir le murmure de tissu.

Une vague s'abattit puis mourut sur une grève. Le vent se leva. Une brise qui caressait un feuillage...

Le ventilateur se mit en marche. Puis le tapis roulant. Marilyn recula d'un sursaut pour ne pas être entraînée. Sa robe gonfla comme un parachute. A peine retombée, la jeune femme dut donner un nouveau coup de reins. Puis un autre. Et encore. Jambes arquées, dos cambré, elle luttait pour ne pas glisser vers l'hélice maintenant lancée à pleine vitesse. Sa robe claquait comme si le courant d'air répondait par des rafales aux soubresauts de son pubis. Des gouttes de transpiration perlèrent à son front. Ses cuisses tremblaient. Elle perdait du terrain.

Une bourrasque secoua les haut-parleurs et le rythme accéléra. Marilyn réagit par un spasme qui lui permit de prendre un peu de champ. Pas assez pour obtenir un véritable répit, cependant, inexorable car insensible à la fatigue, le mouvement de la bande de caoutchouc ne le permettait pas. La jeune femme gémit. Alice avala sa salive. La tempête montait par vagues, reprenant, amplifiant le halètement qui soulevait la poitrine moulée par la robe blanche. A chaque sursaut, Marilyn secouait la tête. Violemment, en tous sens, le visage trempé de sueur. Son gémissement enflait. Les muscles de ses membres se crispaient. Malgré tous ses efforts, elle perdait de nouveau du terrain. Elle s'épuisait. Et son ventre s'ouvrait, s'offrait au souffle du ventilateur. Les pales de plastique fouettèrent l'intérieur de ses cuisses, zébrant la peau claire d'estafilades sanglantes. Le nez d'obus frôla la vulve moulée par le textile mince et humide du slip.

Un cri ! Le noir. Le silence.

Un long silence. Dense et respectueux.

Avec un grincement, le volet commença à s'abaisser. La lumière remonta dans la salle. Quelques murmures s'élevèrent.

— Quelqu'un veut boire un coup ? demanda Tom en s'emparant de la bouteille. Personnellement, j'en ai besoin.

— Moi aussi, répondit Anita en tendant son verre. Une grande rasade, s'il te plaît. Les émotions s'accumulent ce soir.

Alice regardait droit devant elle. Deux yeux bleus écarquillés restaient gravés dans sa mémoire. Le dernier regard de Marilyn avant que les projecteurs ne s'éteignent. Il avait contenu ce qu'elle cherchait. Cet éclat sauvage qui lui échappait depuis tant de mois.

— Elle faisait plus que s'exhiber, dit soudain Alice à sa voisine.

Jill Page se tourna lentement vers elle. Ses yeux verts étaient vraiment immenses, insondables. « Des lacs », pensa Alice.

— Oui, bien sûr.

— Dans quel but ?

— Il faudrait lui demander.

— Non. Je voulais dire : dans quel but l'avez-vous mise dans cette situation bien particulière ?

L'étrange femme brune eut un sourire rêveur. Pour la première fois, Alice la voyait se laisser un peu aller.

— Mais peut-être s'agissait-il simplement de donner du plaisir au ventilateur. (Le sourire disparut.) Excusez-moi, je plaisantais. En réalité, je ne sais pas vraiment. Il m'arrive souvent de tâtonner. Comme vous, j'en suis sûre.

Alice hocha la tête.

— C'était donc un essai de plus dans ma recherche sur les machines. Les relations qu'elles entretiennent avec l'homme me fascinent.

— Vous voulez parler de celles qu'entretiennent les hommes avec elles ?

— Si vous préférez. Je vais aller voir Marilyn. A tout à l'heure ?

— Je ne pense pas, non. Je suis un peu secouée, j'ai besoin de réfléchir.

Une lueur passa dans les prunelles de Jill Page. Elle parut soudain rayonner d'une joie enfantine.

— Merci de cet aveu. Mon œuvre est tout ce qui compte pour moi.

Elle se leva et Alice crut qu'elle dansait. Ses cheveux volèrent quand elle pivota. Une aile d'ombre où la lumière se suicidait par amour. Elle disparut derrière les gratte-ciel de cristal et Alice eut soudain un peu froid.

— En train de tomber sous le charme, toi aussi ? fit la voix de Tom dans son dos.

Elle sursauta mais ne se retourna pas.

— Je ne sais pas. En tout cas, Anita a raison lorsqu'elle parle de souffrance à son sujet.

Tom l'attrapa tendrement par les épaules.

— Et si on rentrait ? Chez moi, pour changer. Tu verras, j'ai même fait le ménage.

Alice secoua la tête.

— Non, Tom. Pas ce soir. J'ai pensé à quelque chose pour mon tigre et je veux l'essayer sur l'appareil de Harryman. Tu accepterais de m'emmener ? Je rentrerai en taxi.

Elle sentit ses mains chaudes la lâcher. Il essaya de plaisanter mais il y avait de l'amertume dans sa voix.

— Message reçu cinq sur cinq. Inspiration en cours d'atterrissage. Dégagez la piste, s'il vous plaît. Prends ma voiture, ce sera plus simple. Je trouverai bien une bonne âme pour me raccompagner.

CHAPITRE VIII

Le tigre se jetait sur elle toutes griffes dehors, crocs étincelants, la gueule emplie de bave. Il jaillissait des ténèbres pour la dévorer, tous ses muscles tendus à claquer sous son pelage d'une précision électrique. Il en émanait une puissance presque excessive. Plus que réaliste, en tout cas.

Alice serrait les poings. Elle avait envie de hurler. Ce n'était pas une bête sauvage.

Et pourtant, elle avait retrouvé le regard qui l'avait tant marqué chez Marilyn.

Elle n'avait pas commencé par là. Reproduire fidèlement son tableau avait été son premier souci. Son aisance l'avait surprise. Une fois qu'on avait eu le déclic, le processus devenait quasiment un réflexe. Il suffisait de se laisser porter, de désirer qu'une image apparaisse sur l'écran. Et surtout, de ne pas essayer de la visualiser mentalement. Sous peine de désastre. De caricature. En fin de compte, si elle y réfléchissait, elle ne travaillait pas différemment avec une toile et des pinceaux.

Une fois qu'elle possédait une idée assez précise de ce qu'elle voulait peindre, sa main prenait le relais sans qu'elle la contrôlât réellement. Elle était obligée de lui accorder sa confiance. Puis de rectifier, si nécessaire.

A chaque nouveau projet, elle avait exigé un peu plus de sa main. Et celle-ci avait répondu aux demandes. Jusqu'à aujourd'hui.

Peut-être Alice se montrait-elle trop ambitieuse ? Mais elle n'avait pas le choix. Elle ne renoncerait pas. Elle voulait devenir une artiste. Une vraie. Reconnue. Or comment espérer voir son travail respecté s'il restait superficiel ? Son tigre se changerait en fauve. En vrai fauve. Plus que vrai, même.

Et le problème ne venait pas du regard. Ou pas uniquement. Elle avait reproduit exactement celui de Marilyn, ne modifiant que la couleur des iris. Tout le reste y était : la légère dilatation des pupilles, les paupières écarquillées, l'aspect luisant dû à un excès de sécrétion lacrymale. Résultat : son tigre avait de la conjonctivite.

Alice entendit le bruit d'une clé poussée dans la serrure. Harryman. Il tombait à pic, elle avait besoin d'aide. La porte grinça faiblement et les ténèbres devinrent soudain plus épaisses. Vivantes. Menaçantes. Elle était crevée, ses nerfs lui jouaient des tours. Elle tourna quand même le variateur. A peine, juste ce qu'il fallait pour avoir une lumière douce.

— Splendide ! s'exclama Harryman. Absolument splendide, à part qu'il louche un peu. Vous me l'avez enregistré, j'espère ?

— J'allais le faire, mentit Alice.

Elle avait complètement oublié cette histoire de magnétoscope. Elle écarta les tampons des capteurs et se tourna vers le petit professeur.

— Vous saviez que j'étais là ? demanda-elle.

Elle vit son profil sourire. De côté, il semblait moins chauve.

— Non, répondit-il. J'occupais mon insomnie par un petit tour du propriétaire.

— Honnêtement, qu'en pensez-vous ?

— De l'insomnie ?

— Non. De mon tigre.

— Saisissant. Il donne une grande impression de force. D'énergie soudain libérée. Vous avez beaucoup de talent.

— Et il vous paraît... sauvage ? Vous voyez ce que je veux dire ?

— Comme une bête fauve ? (Il se tourna vers elle. Ses yeux délavés pétillaient. Elle les trouva jaune pâle.) En fait, il vous ressemble. Pas physiquement, bien sûr. Mais vous avez la même manière de vous détacher du paysage. Etes-vous une bête fauve ?

La jeune femme poussa un soupir excédé.

— Je ne suis pas d'humeur à supporter les sous-entendus psychanalytiques. Si vous n'avez pas mieux à me proposer, soyez gentil, sortez.

— Vos n'avez pas envie d'un coup de main ? (Il semblait sincèrement surpris.) Si ce problème de sauvagerie vous tracasse, je peux vous aider. Enfin, vous pouvez vous aider. C'est même assez simple.

— Allez-y, crachez le morceau !

— En bien, à mon avis, vous devriez d'abord travailler sur une femelle. (Elle ouvrit la bouche. Il agita la main pour l'empêcher de l'interrompre.) Ensuite, concentrez-vous sur elle. Concentrez-vous de toutes vos forces. Jusqu'à sentir ses muscles jouer sous votre peau. Et puis laissez votre peau devenir son pelage. Etc., je vous passe le détail. Mon appareil s'occupera du reste.

— Mais vous êtes... ! commença Alice. Eh, où allez-vous ? s'écria-t-elle.

Harryman arrivait déjà à la porte. Il se retourna. Son dos s'était voûté, comme accablé par le poids d'un insupportable ennui.

— Je vous obéis, répondit-il. Je sors. Je n'ai rien d'autre à vous proposer.

Le battant se referma derrière lui. Alice retomba dans le fauteuil.

— Il est dingue ! siffla-t-elle entre ses dents. Il est dingue ! Et moi aussi de rester ici.

Elle consulta sa montre. Deux heures du matin. Sur l'écran, le tigre paraissait ricaner. C'est vrai qu'il louchait. Elle plaqua rageusement les tampons sur ses tempes. Coupa la lumière.

« Saloperie de tigre ! »

Elle l'effaça d'un coup et se retrouva plongée dans un noir d'encre. Elle n'avait pas peur. Pas sommeil, non plus.

« Une femelle ? »

Elle commença par le paysage : le sol plat à perte de vue, les hautes herbes, les bosquets d'arbres au feuillage clairsemé. La mare aux rives sombres et craquelées. Et cette lumière, écrasante et poussiéreuse. La savane de la cassette se révélait par touches, sans effort.

« Les zèbres, maintenant. »

Tout le troupeau apparut d'un coup. La scène était désormais complète, immobile, beaucoup plus grande, nette et présente que lorsqu'elle mettait le magnétoscope en pause.

« L'animer ? »

Elle eut à peine le temps d'y songer. Les zèbres s'ébrouaient. Elle voulut en faire boire un, il souffla dans l'eau avec maladresse. Les autres, ceux auxquels elle ne s'intéressait pas, bougeaient avec naturel. Alice entrevit un mouvement, au loin dans l'ombre d'un bosquet. Oubliant les ruminants, elle zooma sur cette portion de l'image. Immobiles, deux cercles d'or semblaient la regarder approcher.

Alice n'avait pas désiré cette lionne. Pas encore. Elle faillit l'effacer.

Oh, et à quoi bon ? C'était quand même pour en arriver là qu'elle se prêtait à ce jeu ridicule. Le félin paraissait attendre en la dévisageant. Sa queue battait lentement. Alice figea l'image. Qu'avait dit Harryman ? De se concentrer. Que risquait-elle ?

Mais que pouvait bien ressentir une lionne ?

Déjà, elle n'avait pas de mains. Quatre pattes. Se déplacer sur quatre membres. Alice fixait l'animal. Elle ne voyait plus que lui. Il y avait aussi cette puissance. Cette énergie fluide, si évidente sur la cassette. Elle semblait peu à peu gagner ses propres muscles. Que savait-elle d'autre sur les félins ? Ah oui ! Odorat très prononcé. Elle fronça le nez.

Une odeur ténue d'antiseptique imprégnait l'air de la pièce. Une autre sensation commença à s'y mêler. La sécheresse de la poussière dans ses narines, l'âcreté de la terre. Et le parfum frais de l'eau, non loin. Celui de plantes. Plusieurs espèces. Leurs effluves se mêlaient pour lui emplir les sinus, rayonner jusqu'au fond de sa gorge.

Soudain, toutes les senteurs devinrent claires, nettement distinguées. Et elle ne voyait plus comme avant. Elle percevait mal les couleurs, elles étaient bizarres, délavées. En revanche, les volumes se détachaient avec une extrême précision les uns des autres. Leurs formes donnaient une extraordinaire impression de relief.

Mais le plus agréable en cette nuit d'hiver, c'était la chaleur. Une canicule d'été sur la plage. Alice bondit au soleil. Elle ne pesait rien. Son corps ne pesait rien.

Son corps ?

Le corps de la lionne ! Pas le sien ! Elle ne voulait pas !

Elle se retrouva instantanément assise sur le fauteuil. En face d'elle, plus grand que nature, le félin s'était figé au moment où il achevait son saut, prêt à s'élancer à nouveau. Alice s'étira. Commençant par les orteils, elle tendit puis relâcha chacun de ses muscles. Ses muscles de femme. L'image ne bougeait pas. Pouvait-elle réellement la transformer à sa guise ? Coller une tête de Bug's Bunny à la lionne, par exemple ?

L'animal prit la tête du personnage de dessins animés.

Le résultat choqua Alice. Le félin — *son* fauve — ne méritait pas ce manque de respect. Ses nerfs se souvenaient du sentiment de puissance et de souplesse qu'elle avait éprouvées en s'imaginant dans son corps. La chaleur paraissait encore vibrer sur son pelage, l'intensité des odeurs lui ouvrir un univers inexploré. Il ne s'agissait que d'hallucinations, d'illusions que l'appareil de Harryman puisait dans son inconscient. Elle le regrettait presque. Le savoir réduisait le plaisir que lui avait donné l'expérience.

Une expérience qu'elle pouvait interrompre à tout moment...

Alice abaissa légèrement le dossier et redressa un peu l'appuie-tête. Elle inspira profondément, fixant le carnassier prêt à bondir à nouveau. L'énergie dans ses membres, fluide. La curieuse impression que donnait le fait de posséder une queue et l'équilibre parfait qu'elle participait à maintenir...

Alice termina son saut et atterrit au cœur des graminées. Les hautes herbes la dépassaient et sa vision de chat isolait chaque tige. Elle courait, sensible au plus infime gravier sous les coussinets de ses pattes. L'air brûlant caressait ses narines, les babines de sa gueule entrouverte. Dans le bouquet d'effluves qu'il lui apportait, c'était l'un des plus ténus qui transmettait le message le plus vigoureux. Une promesse de galop et de plaisir. Alice se laissa entraîner, jouissant du frôlement des feuilles sèches et du silence presque total de sa course.

Elle jaillit dans l'espace dégagé autour de la mare. Le grondement de sabots fut une sensation autant qu'un son. Une vibration transmise par les poils délicats sous ses pattes. Chaque zèbre émettait sa propre signature, mélange d'odeur et de bruit de course particulier. La vue aidait peu à les identifier. Leurs rayures tendaient à les rendre flous lorsqu'ils se mettaient en mouvement. A leur galop plus lourd, légèrement plus imprécis, Alice repéra un vieux et une femelle pleine.

Comme sur la cassette.

En elle, le plaisir de la chasse poussait son rugissement muet. Elle ne permit pas à la lionne d'hésiter entre les deux proies et la lança immédiatement sur les traces du vétéran. Une ombre de souvenir teintée de frustration emplit sa gueule : le goût d'une chair tendre et lisse, baignant dans un liquide tellement nourrissant.

Elle n'eut pas le temps de s'appesantir. Le zèbre accélérait, filait vers le troupeau. Elle fonça. L'oxygène grillait ses poumons. Un cœur énorme battait dans sa poitrine. Un ou deux mètres à peine la séparait de sa cible. Leurs trajectoires allaient se couper. La terreur et la détermination du ruminant se transformaient en un parfum qui flambait dans ses narines. Il était sur le point de passer, de franchir la ligne invisible qu'elle tirait entre lui et le troupeau. Alice jeta la patte, tout son être concentré dans les griffes. Le temps ralentit.

L'herbivore rebondit dans la direction opposée, un saut à angle droit, comme en plein vol. Alice ralentit. Elle l'avait raté ce coup-ci mais il ne pouvait plus rejoindre le troupeau. Elle perçut alors un frôlement particulier émis par les graminées. Quasiment aucune vibration du sol ne l'accompagnait. Une autre lionne courait sous le couvert des hautes herbes. Que faisait-elle là ?

Le zèbre s'éloignait. Alice avait envie d'aller voir l'autre fauve. Mais son corps de félin ne l'entendait pas ainsi, la chasse n'était pas terminée. La jeune femme prit conscience d'une sensation qui taraudait l'animal et qu'elle avait négligée. Il s'agissait d'une attente et d'une exigence diffuses : la faim. Décidément, son inconscient faisait bien les choses. Trop bien...

Elle regagna instantanément le fauteuil. Elle gardait le contrôle. La photo qui occupait tout le mur en face d'elle dans le noir ne représentait plus le paysage de la cassette. La plupart des arbustes avaient disparu. La tête du zèbre dépassait des hautes herbes jaunies. Il approchait d'une zone stérile et caillouteuse. Derrière lui, deux sillages dans les graminées révélaient la position des lionnes. L'urgence de la poursuite habitait Alice. La bête créée par son inconscient avait raison de ne pas toujours lui obéir. C'était exactement cela qu'elle recherchait : la faim, la chasse, les odeurs...

La traque reprit, excitante, patiente puis douloureuse. La fatigue jetait ses pelotes d'acier dans ses muscles. Acérés, les cailloux meurtrissaient ses pattes. Le zèbre s'épuisait mais si lentement. Il continuait à feinter, à tenter d'échapper à l'étau que refermaient les deux fauves sur lui. Encore une fois, malgré le feu dans ses membres et ses poumons, Alice dut accélérer pour lui couper la route. Il escaladait un escarpement de rochers déchiquetés.

En redescendant la pente, l'herbivore trébucha. Il se redressa aussitôt mais l'autre lionne bondissait déjà. Elle atterrit sur son dos, bloqua sa nuque dans sa gueule, planta ses griffes dans ses flancs. L'odeur du sang enivra Alice. Un flot de salive emplit sa bouche. Une soudaine assurance, un contentement profond, gommaient la douleur et la fatigue du corps qu'elle occupait. Celui-ci s'approchait lentement et Alice ne cherchait pas à le retenir. Elle se laissait elle-même emporter par la certitude du plaisir à venir, la jouissance de la victoire, la faim devenue convoitise.

Elle étira avec volupté ses muscles endoloris, fit coulisser ses griffes dans leurs fourreaux. Le zèbre ne se débattait plus. Alice se coucha devant lui, croisa les pattes sur son encolure. Dans ses sinus, le parfum du sang flamboyait. Un cœur s'affolait contre sa poitrine velue, comme s'il cherchait déjà à lui offrir son énergie. Elle ouvrit la gueule.

Alice réalisa soudain ce qu'elle était en train de faire.

Mais elle ne put empêcher ses crocs de se refermer sur les naseaux tièdes et palpitants.

CHAPITRE IX

Jeremy Glenn regardait Anita s'éloigner et se disait qu'il avait commis une grosse bourde ce soir. Une très grosse bourde. Elle partait avec sa copine horoscope et le journaliste, et elle ne voulait plus jamais revoir Jeremy Glenn. Qui allait payer le loyer de son studio ? Ces vieilles étaient toutes des pétasses.

Sans quitter des yeux la silhouette qui se faufilait dans la cohue agglutinée devant le bar, le jeune homme tâtonna sur le plateau rugueux. Sa main se referma sur une bouteille. Non, ça c'était la vide. Ses doigts rencontrèrent l'autre. Il lui restait encore la moitié de son contenu. Jeremy dut regarder ce qu'il faisait pour se servir. Lorsqu'il releva la tête, la foule avait définitivement avalé Anita. Avec un soupir, il posa les coudes sur la table et plongea dans la contemplation de son whisky. Maintenant, il allait devoir remplacer Anita. L'idée le répugnait. Merde, elle commençait déjà à lui manquer ! Peut-être qu'il aurait dû chercher un boulot ? Peut-être qu'il aurait dû lui dire que c'était pas la peine qu'elle casque ?

Qu'il voulait quand même rester avec elle malgré ses quarante-cinq ans et les pattes-d'oie aux coins de ses paupières.

Peut-être qu'il était con, tout simplement ?

Jeremy vida son verre d'un trait et la colère parut incendier son ventre en même temps que l'alcool. Il avait envie de cogner et il avait envie de mourir. Il lança la main devant lui. Mais où elle était cette putain de bouteille ?

— J'peux boire un coup ?

Un vertigineux décolleté se laissa tomber juste en face de Jeremy. Une peau laiteuse, rendue luisante par la transpiration. Le tissu blanc de la robe comprimait la chair mouvante des seins. La blonde interpréta le vague hochement du jeune homme comme un assentiment. Elle se servit. Pas moche mais pas maligne non plus. De jolis yeux noisette au regard un peu flou. Tout le contraire d'Anita. Juste ce qu'il lui fallait.

— On trinque ? proposa la fille avec une gaieté forcée.

Il poussa son verre contre le sien. Tout comme lui, elle n'en était sûrement pas à son premier. Jeremy la revit en train de baiser avec le ventilateur. Il avait trouvé le spectacle très excitant mais malsain. Il donnait envie de faire mal.

***

Jill Page tourna la clé dans la serrure le plus silencieusement possible. Elle avait remarqué la voiture garée au bas de l'allée et ne voulait pas déranger

Alice Godsend. Cette femme lui plaisait. Elles partageaient la même passion de l'art toutes les deux, la même exigence créatrice. Quel dommage qu'elle se laissât distraire par les pantins qui l'entouraient.

Jill sourit en refermant doucement le battant. Dès que possible, elle devait se rendre chez Alice. Elle voulait sentir le lieu où elle habitait, se repérer. Elle pourrait ensuite l'aider. Grâce à l'appareil de Harryman, elle ferait un peu de ménage autour d'elle. La peinture d'Alice progresserait certainement mieux si elle en discutait avec une amie attentive et concernée plutôt qu'avec de vieilles pies superstitieuses ou un journaliste écervelé.

« Oui, pensa-t-elle en gagnant le centre de la pièce. Je vais nettoyer ta vie des gêneurs qui t'importunent. Et je ferai de cette élimination une œuvre dont ni l'une ni l'autre nous n'aurons à rougir. »

Arrivée près du fauteuil, elle commença à se déshabiller. Elle avait une autre œuvre à achever ce soir. L'aboutissement d'un travail arrivé particulièrement vite à maturité. Son ventre commençait à la chatouiller. Jill fouilla dans sa poche. Cette fois, elle n'avait pas oublié le vibromasseur. Elle le posa sur le magnétoscope. Avec un frémissement d'impatience, elle cala ses reins contre les bourrelets de cuir, baissa la lumière et poussa le petit interrupteur.

La dernière fois qu'elle avait vu Marilyn, elle buvait seule à une table. En discutant avec elle, Jill avait constaté la déception de la jeune femme blonde. Personne n'avait applaudi à la fin de la performance. Personne ne venait maintenant lui témoigner son admiration ou au moins de l'intérêt. Au contraire, les regards qu'on lui jetait contenaient plutôt du dégoût.

Elle se trouvait encore probablement au *Subart Workshop* et elle était éméchée et triste.

Les yeux braqués vers l'écran invisible dans le noir, Jill s'efforça de s'imaginer Marilyn. Se sentir plus grande, tout d'abord. Le poids des seins, la robe qui les comprime. Les cuisses plus épaisses, qui se touchent. De la sueur, sûrement. L'imprécision mentale que donne l'alcool et la fatigue. Le brouhaha des voix et l'acoustique particulière de l'ancien parking. Debout ? Assise ?...

***

— La bouteille est vide, annonça Marilyn. (Elle détachait tellement les syllabes pour ne pas bafouiller que son ton en devenait mécanique.) Je te ramène si tu veux.

Jeremy avait réfléchi plus tôt à la question et décidé que si elle lui proposait, il refuserait. Il lut une telle détresse dans son regard qu'il changea d'avis. Après tout, ce ne serait pas la première fois qu'il couchait sans enthousiasme.

— La proposition m'honore, roucoula-t-il avec un sourire enjôleur.

Il la vit cligner vivement des paupières et porta instinctivement la main à sa bouche. Il avait tendance à postillonner quand il avait trop bu.

L'air froid du parking le dessoûla légèrement. Il eut presque honte en montant dans la petite Honda. Une bagnole de prolo. Enfin, le chauffage marchait bien, c'était déjà ça. Ils dépassèrent une voiture de police. La seule à traîner dans ce quartier à cette heure de la nuit.

Le chauffage marchait vraiment très bien. Jeremy déboutonna son pardessus en poil de chameau. Un cadeau d'Anita. Elle avait vraiment le chic pour saper les mecs, Anita. Anita... Mais qu'est-ce qui lui avait pris de jouer le soupirant ensorcelé avec cette gosse brune ? Jamais il ne...

— J'ai chaud, moi aussi.

La remarque de Marilyn coupa le fil de ses pensées, l'amputa du souvenir d'Anita. Que faisait-il avec cette grosse vache ? Il regrettait déjà son moment d'attendrissement. Il ouvrit quand même le manteau en fourrure synthétique de sa voisine. Cramponnée à son volant, elle conduisait mal, comme un débutant qui doit réfléchir à chacun de ses actes. Sa robe blanche s'était retroussée sur ses cuisses. Jeremy la remonta encore par curiosité. Quelques estafilades barraient la peau blême. Presque rien, les pales du ventilateur l'avaient à peine égratignée.

Jill avait du mal à se concentrer sur le pilotage de la voiture. Elle devait lutter contre la nausée. Tout l'écœurait dans cet habitacle surchauffé. Le gigolo assis à côté d'elle et son eau de toilette acide. L'odeur de transpiration de Marilyn, le goût de bile dans sa bouche et son corps sans tonus. Pire encore, il y avait son esprit. Un esprit inculte et larmoyant qui n'avait pas demandé mieux que de lui laisser le contrôle. Il continuait de regarder, pourtant, ravi de se croire dans un rêve afin de ne pas prendre de décision. Sa présence était extrêmement ténue, comme des expressions vues de loin sur un visage, mais elle suffisait pour que Jill se sente souillée. Malheureusement, l'appareil de Harryman ne lui permettait pas de détruire l'esprit des cobayes. Juste de leur disputer le contrôle de leur corps.

Jill baissa les yeux vers ce qui retenait tant l'attention du gigolo. Il contemplait les cuisses de Marilyn et les stries laissées par le ventilateur. Des cuisses trop grasses, trop molles. Avec un frisson, elle les serra l'une contre l'autre. Le gigolo sursauta.

— Eh, qu'est-ce qu'on fout là ? s'exclama Jeremy.

La jetée de béton s'enfonçait dans l'eau grise de l'Hudson. Papiers gras et boîtes de bière vides jonchaient le quai désert. Une épaisse couche de crasse opacifiait l'antique verrière qui le recouvrait. Deux lampadaires jetaient une lumière pâle et lugubre.

Marilyn rabaissa sa robe d'un geste raide. Elle lui adressa un sourire trop égrillard, trop appuyé. Il se laissa aller contre le siège avec un soupir.

— Ramène-moi chez moi, je suis crevé.

Elle ouvrit sa portière et descendit. Son manteau ouvert claquait contre ses jambes. Elle se pencha vers lui en se passant la langue sur les lèvres.

— Viens. Tu verras, tu ne le regretteras pas.

Jeremy secoua la tête. Quelle truie, il n'aurait jamais dû accepter son invitation. Marilyn pressait maintenant ses seins entre ses mains.

— Je t'assure que tu vas découvrir des trucs que tu ne crois pas que c'est possible.

Quelle idiote ! Mais il se sentit brusquement durcir à la vue de cette chair flasque et offerte. Elle lui donnait envie de malaxer jusqu'à entendre des cris. Il descendit à son tour. Le courant d'air glacé qui balayait le dock désaffecté le fit frissonner. Il referma son pardessus, releva son col. La truie, elle, semblait inaccessible au froid. Elle le prit par le bras et l'entraîna d'un pas ferme, presque martial, vers un large panneau métallique à la peinture grise cloquée par la rouille. Sa peau nue sous son chiffon d'été n'avait même pas la chair de poule. Elle poussa sans effort la lourde porte coulissante. Les roulettes grincèrent.

Jeremy ne se sentait plus ivre du tout. Il se sentait mal à l'aise. Il essaya discrètement de se dégager. C'était une poigne d'acier qui le serrait. Marilyn appuya sur un interrupteur. Une violente lumière blanche tomba des rampes poussiéreuses suspendues au plafond. Elle le poussa sans douceur en avant pour refermer la porte.

— Lâche-moi ! cracha Jeremy.

Il attrapa son poignet, tira, secoua. Elle avait le bras aussi dur que celui d'une statue. Elle ne parut même pas entendre son ordre ou remarquer son geste. Une vedette à fond plat occupait le centre du vaste atelier. La blonde se dirigea vers l'embarcation d'une démarche saccadée. Jeremy fut obligé de suivre. Il oscillait entre l'affolement et une sensation de plus en plus convaincante d'irréalité. La barque reposait sur un chariot roulant. Deux rails couraient sur le sol de béton puis descendaient un pan incliné jusqu'à un volet abaissé. Ils devaient continuer derrière pour plonger dans la rivière. L'endroit ressemblait à un chantier naval. La grosse machine encroûtée dans une gangue jaunâtre confirmait cette impression.

Jeremy aurait bien aimé s'approcher. Une sableuse. Il n'en avait plus vu fonctionner depuis une vingtaine d'années. Qu'est-ce que cet engin avait pu l'émerveiller quand il était môme et traînait sur les docks d'Hoboken. Ça c'était de la magie, de la vraie. Un jet de poussière qui ne salissait pas mais nettoyait. Vous transformait en deux coups de cuillère à pot une carcasse pourrie en un navire flambant neuf, à la coque parfaitement décapée.

On avait installé celle-ci de façon bizarre. Le conduit de sablage, un tuyau souple de métal tressé, grimpait jusqu'à la proue du bateau. Là, suspendu par un filin d'acier, il traversait un cerceau grossier en fer à béton.

Marilyn lâcha Jeremy au pied de l'échelle appuyée contre le navire. Il grimpa sans se faire prier. Toute cette histoire ressemblait de plus en plus à un rêve. Il y avait une banquette au milieu du pont, assez large pour que deux personnes puissent s'asseoir dos à dos. Il s'allongea dessus avec un soupir de soulagement. Il était épuisé en fait. Ses nerfs lui jouaient des tours. Marilyn se hissa elle aussi sur le bateau. Elle ôta son manteau. Mais bon sang, comment se débrouillait-elle pour ne pas sentir le froid dans cette robe légère ? Mains sur les hanches, elle le fixait. Une moue de mépris tordait sa bouche, ses grosses lèvres humides.

— Tu vas me regarder ! ordonna-t-elle.

Il ne répondit pas. Elle se déshabillait. Il se demanda si elle comptait le violer. Comment une femme pourrait-elle violer un homme ? Mais si ce n'était pas son but, pourquoi l'avoir entraîné ici ? Pour le tuer, le torturer ? Il avait affaire à une sadique ? Nue, la folle lui tourna le dos et il s'apprêta à bondir pour prendre la fuite. Il perçut alors le bruit d'un moteur qui démarrait. Il y avait quelqu'un dans l'atelier. Ami ou ennemi ?

Jeremy descendit silencieusement de sa banquette et marcha sur la pointe des pieds jusqu'au bastingage. Il se pencha, cherchant l'ouvrier à l'origine de ce bruit de machine. Personne. Mais la sableuse s'était mise en route. Accroché à son filin juste en face de la dingue, le tuyau cognait au hasard contre le cercle métallique qui limitait ses déplacements. On aurait dit la tête aveugle d'un énorme ver. Le courant d'air souleva les cheveux blonds de la fille. Poussés par la puissante soufflerie, les premiers grains de sable jaillirent de l'embout.

D'infimes points rouges apparurent sur la poitrine et le ventre de Marilyn. De minuscules et délicieuses brûlures naissaient à chaque point d'impact. Elle composaient une œuvre abstraite et aléatoire, une gravure qui évoquait celle d'un microprocesseur. Jill fit reculer le corps qu'elle habitait. Ses mollets touchèrent le rebord de la banquette et elle se laissa tomber à la renverse sur le skaï. Un contact froid et sale sous ses fesses et son dos. Elle se déplaça d'un soubresaut, posa les pieds sur le plastique et ouvrit les jambes. Quelques grains de silice commencèrent à tracer des traits de feu à l'intérieur de ses cuisses.

Maintenant, vérifier que le témoin remplissait sa fonction. Elle tourna la tête.

Pas de problème, les yeux du gigolo lui sortaient des orbites. Elle sentit toutefois le corps de Marilyn éprouver une émotion qu'elle ne contrôlait pas : une violente flambée de désir. Voir cet homme la dévorer ainsi du regard alors qu'elle se trouvait dans cette position excitait l'esprit de la femme blonde. Surprise, Jill ne put empêcher les lèvres de s'ouvrir. Elle réussit seulement à empêcher le mot de jaillir : « Viens ! ».

Marilyn réagit très violemment à ce blocage. Elle ne voulait plus rêver, elle voulait se servir de son corps. Une volonté plus animale que réfléchie. C'était comme un flot qui se répandait dans tous les nerfs. Jill fut submergée. Elle ne dirigeait plus rien. Elle tenta de revenir au fauteuil mais elle n'arrivait même plus à s'imaginer dans son propre corps. La personnalité de Marilyn infiltrait la sienne. Ses pensées la cernaient. Ses sentiments l'engluaient... Elle se noyait dans un immense et répugnant besoin d'amour.

La sableuse avait monté en puissance et une souffrance devenue insoutenable irradiait du bas-ventre. Marilyn roula sur le côté afin d'y échapper, tombant de la banquette. Elle avait trop mal pour se relever. Tendant un bras vers Jeremy Glenn, elle se mit à ramper.

— Aide-moi ! supplia-t-elle.

Le dégoût se mêla à l'effroi sur le visage du jeune

homme. Il recula d'un pas et la détermination de Marilyn s'effondra aussi subitement qu'elle était apparue. Le désespoir lui ôtait l'envie de vivre, de se battre. Jill eut l'impression que l'esprit de la femme blonde se dégonflait comme une baudruche. Il se recroquevillait, cherchant le noir et l'oubli... Il lui laissait la place. Elle fit remonter le corps sur la banquette.

Le jet de particules acérées la projeta en arrière. Des à-coups secouait la tête du ver. Couchée sur le dos, Jill arqua les reins, cherchant la brûlure. L'énorme embout dansait au-dessus des cuisses. Une secousse le baissa soudain et une colonne incandescente la pénétra. Implacable et monstrueuse, incroyablement réelle et pure, la douleur explosa dans tout son être. Jill s'éparpillait, offerte au néant, soumise à sa fureur...

La violence de son orgasme la ramena sur le fauteuil.

De légers spasmes secouaient ses jambes. Ses jambes à elle. Elle n'avait même pas eu besoin du vibromasseur.

Sur l'écran, un dernier sursaut cambra Marilyn. Son ventre n'était plus qu'une pulpe rouge. Le témoin vomissait. Il avait rempli sa fonction. Grâce à lui, à son regard, la performance artistique avait existé. Marilyn avait accompli son destin, son union avec le souffle de la machine. Jill Page aurait préféré profiter de la paix qui l'habitait mais elle ne pouvait pas laisser le gigolo raconter ce qu'il venait de voir. Trop tôt. Alice Godsend n'était pas prête.

Jeremy Glenn croyait devenir fou. Il réagit trop tard lorsque ses jambes le lancèrent en avant. Il n'eut pas le temps de se demander pourquoi ses membres ne lui obéissaient plus. Le sable lui rongeait le visage. La souffrance contribua à le paralyser. Les cristaux de silice atteignirent le cerveau avant qu'il ne reprenne le contrôle de son corps.

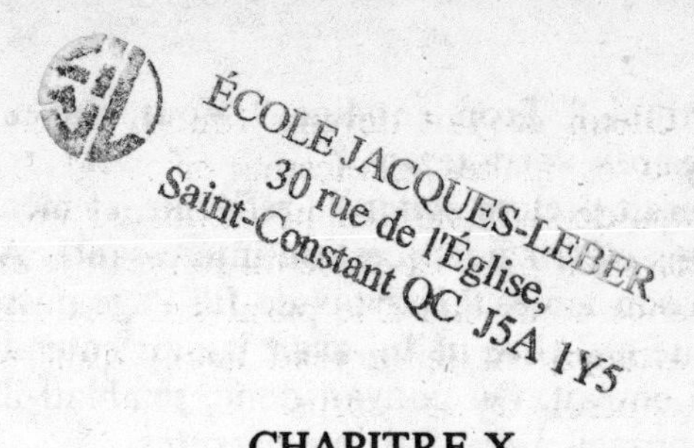

CHAPITRE X

« Tu es vraiment dingue d'avoir des fantasmes pareils ! »

Froide et méprisante, la pensée cingla l'esprit d'Alice. La jeune femme se retrouva immédiatement assise dans le fauteuil. Immense et immobile devant elle dans le noir, la lionne donnait son baiser de mort. L'image correspondait exactement à un passage de la cassette. Il y avait même le bosquet d'arbustes et non le plateau aride et caillouteux.

Ecœurée, Alice sentait encore le goût de la salive du zèbre sur sa langue. Quel rapport tout cela avait-il avec sa peinture ? Elle tourna le variateur puis éteignit la machine. Elle se sentait lourde, l'esprit encombré. Elle avait subi trop d'expériences, éprouvé trop de sentiments ces derniers jours. Elle avait besoin de faire le tri. De dormir, aussi.

Jill Page sortit de son propre laboratoire au moment où Alice refermait sa porte.

— Une bonne séance ? demanda la femme brune.

— Non.

— Pourquoi ? Trop anodine ? Vous n'avez rien appris et perdu votre temps ?

Alice aurait préféré éviter de réfléchir, et même de parler, mais c'était une question intéressante. Avait-elle perdu son temps ? La voix de Jill Page possédait une sérénité qu'Alice ne lui avait jamais entendue et qu'elle lui enviait. On pouvait donc, semblait-il, utiliser cet appareil à des fins intéressantes.

— Non, répondit-elle. C'est juste que je me suis laissée embobiner par Harryman. J'ai l'impression que sous prétexte d'étudier notre créativité, il cherche en réalité à nous faire déballer notre inconscient.

— Quelle importance, si nous progressons dans la recherche qui nous intéresse ?

Encore une bonne question.

— Parce que vous pensez que plonger dans des hallucinations où l'on ne possède même plus son propre corps est instructif ?

Jill Page ne chercha pas à dissimuler sa surprise :

— Vous avez changé de corps ?

— Oui, j'ai cru changer de corps et je me demande bien quel enseignement je suis supposée y trouver.

Elles marchaient toutes les deux côte à côte en direction de l'escalier. Une pointe d'admiration se mêlait maintenant à la curiosité de Jill Page. Apprendre à s'incarner dans le corps de quelqu'un d'autre lui avait demandé beaucoup plus de deux jours.

— Vous n'avez pas envie d'en discuter autour d'un café ? s'enquit-elle.

— D'accord pour le café, mais je ne sais pas si je tiens réellement à en discuter.

— Très bien, allons chez vous. Après ce qui s'est passé à l'*Open Art Gallery*, je préfère éviter les lieux publics. Je vous suivrai en voiture.

— C'est loin d'ici, remarqua Alice.

L'autre écarta l'objection d'un geste de la main.

— Je n'ai pas sommeil. Et pour être sincère, vous m'intéressez.

Alice ne dit rien mais elle commençait, elle aussi, à trouver son interlocutrice de plus en plus intéressante.

La superbe voiture d'Anita était garée sur la pelouse jaunie, à gauche de l'allée creusée d'ornières qui traversait le terrain vague cernant la bicoque. Alice arrêta la vieille Mustang de Tom de l'autre côté du chemin. Dans son rétroviseur, elle vit Jill Page garer sa Japonaise grise et passe-partout derrière elle.

Elle l'attendit sur le gravier clairsemé du chemin de terre qui menait à la maison. Elle posa la question qui était venue la tracasser alors qu'elle conduisait :

— Je me demandais pourquoi vous parliez des expériences vécues avec la machine de Harryman comme si elles étaient réelles. Au fait, elle a un nom cette machine ?

Jill Page sourit. Un vrai sourire, un peu tremblant. Comme celui d'une petite fille intimidée.

— Pas que je sache mais je crois que nous ferions très plaisir à son inventeur en l'appelant la Huitième Merveille de l'Univers ou quelque chose dans le genre.

— Je propose Sphinx parce que si cet engin a des révélations à nous apporter, il les cache bien.

La femme brune battit des mains comme une enfant.

— D'accord. Et ce sera notre secret.

— Vous n'avez pas répondu à ma question.

— Tu peux me tutoyer.

— Très bien. Pourquoi sembles-tu considérer ce que nous fait vivre Sphinx comme réel ?

— Parce que c'est comme ça que je le perçois au moment. Tu as l'impression de te trouver dans une illusion, toi ?

— Non, pas pendant. Mais après, oui. C'est évident.

Elles grimpèrent sur le porche de planches sèches et grinçantes. Alice plongea dans son sac en quête de ses clés. Elle aimait les grands fourre-tout. De petits objets, des bouts de papiers s'y accumulaient comme des sédiments au fond d'un océan : pin's ou porte-clés publicitaires, billets de cinéma, listes de courses, croquis, cartes de visite... De temps en temps, lorsqu'elle en faisait le tri, tous ces petits déchets lui rappelaient que les deux, trois ou quatre semaines qui venaient de s'écouler avaient été beaucoup plus riches et futiles qu'elle ne s'en souvenait.

— Alors nous sommes sur la même longueur d'onde, affirma Jill. A la différence que j'accepte sans doute mieux que toi les situations que Sphinx me permet d'imaginer.

Sa main caressait machinalement la poignée de la tondeuse à gazon posée près de la porte. Un gros engin flambant neuf à la carrosserie écarlate. Trudy l'avait emprunté une semaine plus tôt avec la louable intention de faucher les hautes herbes mortes qui cernaient la maison. Bien sûr, il avait alors neigé. Pas beaucoup mais suffisamment pour l'empêcher de passer à l'acte. En attendant le dégel, elle rentrait le machin dans le salon chaque fois qu'elle partait et le ressortait à son retour. Les doigts longs et lisses de Jill glissaient sur le manchon de plastique brillant avec une troublante sensualité.

Toujours pas trace du trousseau dans le bric-à-brac contenu par le sac. Alice se traita mentalement d'imbécile et cessa ses recherches. De toute manière, Trudy n'avait sûrement pas fermé à clé. Tourner la poignée permit de le vérifier. Alice s'effaça et convia d'un geste de la main son invitée à passer dans le salon. Anita ne dormait pas dans le canapé. Trudy avait dû penser que sa colocataire ne rentrerait pas de la nuit et proposer son lit à son amie. Alice en faisait parfois autant quand Trudy s'absentait.

Jill s'arrêta devant le tigre.

— Ne dis rien, s'empressa de lancer Alice. Je sais, il lui manque quelque chose.

— J'aurais plutôt pensé qu'il avait quelque chose en trop.

L'idée offrait matière à réflexion. Mais pas maintenant.

— Je vais préparer le café.

— Entendu. Je sors faire le tour de la maison. Tu habites un drôle d'endroit.

— Il sera moins drôle dans six mois, quand il vont commencer à construire.

Alice entendit la moustiquaire de la porte d'entrée

se refermer. Elle fixait bêtement la casserole d'eau qui chauffait sur la cuisinière. Sa tension nerveuse la quittait. La fatigue se transformait en une agréable léthargie. Le fait qu'Anita eût pris son lit indiquait qu'elles avaient déposé Tom chez lui. Dommage, elle se serait volontiers nichée dans sa tiédeur. Elle ne se sentait toutefois pas la force de conduire jusqu'à Manhattan.

Elle se laissa tomber sur une chaise en face de la vieille cafetière émaillée. Elle la tenait de sa grand-mère. Alice gardait un souvenir écoeuré du jour de son enterrement. Au retour du cimetière, toute la famille s'était jetée sur les affaires de la vieille dame avec une rapacité de vautours. Alice avait quinze ans ce jour-là et, depuis, un goût de cendres séchait sa bouche chaque fois qu'elle y songeait. Ses parents s'étaient montrés aussi mesquins que les autres.

Bien entendu, personne ne s'était battu pour la vieille cafetière écaillée. Elle n'était même pas assez jolie pour y mettre des fleurs. Alice avait décidé de ne jamais se servir d'aucune autre. Ainsi, elle n'oublierait jamais.

L'esprit flou, le regard dirigé vers la silhouette des immeubles sales, au loin, elle écouta le liquide couler du filtre. Elle vit Tom passer devant la fenêtre. Il avait enfilé sa gabardine fourrée au-dessus d'un peignoir râpé. Tout sourire, il tenait Jill Page par le coude et déclamait en agitant le bras. Il interprétait sans doute son numéro de la visite guidée. Alice croyait presque l'entendre...

— *Et en conclusion de cette conférence sur l'archi-*

tecture crado-néanderthalienne, je vous invite à ne pas oublier le guide : un petit baiser, s'il vous plaît.

La jalousie se mit à jouer sa musique guerrière sur ses nerfs. Elle ne lui suffisait donc pas pour qu'il se croit obligé de séduire toutes les filles qu'il croisait ? Elle entendit un frôlement. Habillée, Anita s'appuyait contre le chambranle de la porte.

— Nous avons manqué de temps hier soir mais il est important que je vous parle. Quand Jill Page sera partie.

Alice ne répondit rien. Un affreux soupçon commençait à lui griffer le ventre : Tom n'avait pu dormir qu'avec Anita. Il n'y avait pas de place ailleurs. En même temps, sa raison lui disait qu'elle se laissait emporter par son amour-propre et sa peur maladive d'être trahie. Il existait certainement une autre explication même si elle ne voyait pas laquelle. Elle aurait préféré écouter son bon sens mais elle n'arrivait pas à l'entendre. Entre ses tempes, fatigue et colère se mêlaient en un sourd grondement.

— Salut à toi, ô lumière de ma vie ! déclama Tom en s'encadrant dans la porte.

Mais ce fut Anita qu'il embrassa au passage. Un léger baiser sur la joue. Il s'effaça, attrapa Jill par la taille, la poussa dans la pièce puis entra à son tour.

— Cette journée restera à jamais dans les annales divines, poursuivit-il. Trois déesses descendues d'un coup dans cette cuisine enivrer les mortels de leur beauté. Installez-vous, mes chéries, je vous sers le café.

Il contourna la table afin d'atteindre le buffet où se trouvaient les tasses. « Un... Deux... Trois... »

Alice comptait. Il ne lui avait toujours pas dit un véritable bonjour, ne l'avait pas effleurée. Il se comportait comme s'il se gardait de toute manifestation d'intimité devant les deux autres femmes. « Six... Sept... » La fureur battait au rythme de son pouls. A chaque chiffre, elle semblait veiner sa vue de rouge. « Huit... Neuf... Dix. »

Tom se retourna.

— Alice, je ne trouve pas le sucre.

Sa chaise tomba quand elle se leva. Elle marcha d'un pas raide jusqu'à la porte, bousculant Anita au passage.

— Mais qu'est-ce qui te prend ?

Il courait derrière elle. Lui attrapait le bras. Elle se dégagea mais il la dépassa et se mit en travers de l'escalier.

— Alice, qu'est-ce qui ne va pas ?

Tête baissée, elle luttait pour ne pas trembler. Il s'accroupit pour voir son visage malgré la barrière de ses cheveux.

— Il s'est passé quelque chose au laboratoire de Harryman ?

Elle haussa les épaules.

— Tu es crevée, à bout de nerfs, et dans ces conditions mon cinéma devient difficile à supporter, c'est ça ?

— Pousse-toi, j'ai sommeil.

— Tu veux que je viennes avec toi ?

— Je veux que tu me foutes la paix.

Il écarta les mains en signe d'impuissance. L'agacement remplaçait l'inquiétude dans ses yeux.

— Entendu. Dors bien. A tout à l'heure.
— Tu n'es pas obligé de rester.
Elle se haïssait en montant l'escalier.

***

Le rêve arracha Jill Page au sommeil. Le jour baissait et elle resta là à fixer la pénombre. Elle cherchait à retenir la sensation, cette impression de paix et de solidité qu'elle venait d'éprouver. Difficile. Les draps s'étaient encore entortillés autour de ses jambes, de son torse. Ils la comprimaient, humides de sueur. Elle détestait transpirer.

Elle se leva et gagna la douche. L'appareil de Harryman lui permettrait de retrouver son rêve et de le vivre avec encore plus d'intensité. « Sphinx », comme l'appelait Alice. Elle aussi allait sûrement se connecter ce soir. Une fois que l'on commençait, il devenait impossible d'arrêter.

Rejoindre l'institut ne lui demanda que quelques minutes ; elle logeait au *Holiday Inn* de Staten Island. Elle ne pouvait habiter que là, dans les chambres anonymes d'hôtels eux-mêmes reproduits à des dizaines d'exemplaires.

Elle ne rencontra Harryman nulle part dans le bâtiment. Le petit psychologue ne semblait exister que lorsqu'on avait besoin de lui. Elle se sentait immense en se couchant sur le fauteuil. Le monde lui appartenait. Un monde qui venait de prendre une dimension qu'elle n'aurait jamais songé lui imaginer. Elle devait commencer doucement, graduer le plaisir de la découverte.

Elle alluma Sphinx et il dessina immédiatement le porche d'Alice Godsend.

Anita s'immobilisa sur le seuil de la vieille bicoque. Trudy buta contre son dos. Elles avaient toutes les deux les bras chargés de grands sacs de victuailles.

— Je ne ferme jamais la porte à clé, dit Trudy.

Anita secoua la tête.

— Ce n'est pas ça. J'ai senti quelque chose. Une présence.

— Encore le diable ?

— Non.

— Ah, tu me rassures. Mâle ou femelle ? Je cherche une âme sœur mais « mâle » intentionnée.

Le rire de Trudy sonna faux. Anita posa un doigt sur ses lèvres. Elles traversèrent le salon sur la pointe des pieds. Tom s'était endormi sur le canapé, la tête posée sur sa grosse gabardine fourrée. Du haut de l'escalier, Alice les vit s'enfermer dans la cuisine avec leurs courses. C'était un rêve lié à la lionne qui l'avait réveillée. Elle courait à quatre pattes dans la ville. Depuis, l'envie la tenaillait.

Elle savait qu'elle ne devait pas y céder. Pas tout de suite. Se réconcilier avec Tom d'abord. Il dormait si bien. Elle éprouvait comme une faim : il fallait qu'elle se branche. Il fallait qu'elle essaie.

« Non ! Tu dois attendre et parler avec Tom ! »

Il sourit dans son sommeil. Alice s'approcha sans un bruit, une douce chaleur irradiant dans son ventre. Elle tendit la main vers la joue de son ami... Et la laissa tomber dans la poche de sa canadienne. Les clés de la Mustang s'y trouvaient.

La puissance de la lionne, l'intensité de ses sensations, les odeurs... Elle appellerait Tom de l'institut.

Alice sortit sans même jeter un regard à son tableau inachevé.

CHAPITRE XI

Jill se sentait bien. Mieux encore que dans le rêve. Dans le rêve, elle était une pendule et le chant d'un cristal de quartz imposait son tempo au déplacement de ses engrenages. Là, grâce à Sphinx, le temps n'existait plus. Il n'avait pas prise sur sa carcasse métallique soigneusement peinte et lubrifiée. Ses organes de fer au repos, Jill était solide et trapue, immobile et immuable. Elle n'avait aucun besoin à assouvir, aucune action à entreprendre, aucun espoir à protéger.

Elle l'avait toujours su et le vérifiait enfin. Les machines connaissaient une paix inaccessible aux êtres humains. Pour cette première expérience, elle n'avait pas choisi la tondeuse à gazon par hasard. Tout d'abord, elle lui permettait de surveiller les parasites qui s'accrochaient à Alice Godsend. Ensuite, elle cachait des lames dans son ventre. Une tondeuse n'avait pas à redouter les vieillards. Elle tranchait les doigts qui cherchaient à s'introduire.

Au tout début, alors qu'elle venait de se laisser

aspirer par le splendide objet rouge apparu à l'écran, elle n'avait quasiment rien perçu. Juste de lointaines vibrations, sous elle, lorsque quelqu'un marchait sur les planches du porche. Son univers sensoriel s'étendait désormais peu à peu. Elle le laissait se développer de lui-même, rien ne pressait. Elle commençait ainsi à discerner les ondes sonores et les rayonnements lumineux. Ces sensations ne ressemblaient toutefois pas à l'ouïe ou la vue mais plutôt au toucher, si elle devait établir une comparaison avec son passé humain.

Jill s'essaya à mouvoir un piston. Il glissa sans effort dans sa chambre de combustion. Sur le fauteuil confortable du *Panpsychological Institute*, son corps souriait sans qu'elle le sache. Elle attendait sans impatience le moment où elle libérerait son amie Alice Godsend de l'entourage pesant dont elle souffrait.

Alice tourna fébrilement la clé dans la serrure. Elle craignait que Harryman ou Jill Page passe à cet instant dans le couloir. Discuter, même le strict minimum requis par la politesse, aurait reculé le moment de s'allonger sur la couchette. La porte s'ouvrit silencieusement sur des ténèbres opaques et elle s'empressa de la refermer derrière elle. Elle n'avait pas besoin de voir. Elle laissa tomber son manteau par terre et avança dans le noir, les bras tendus.

La culpabilité se mêlait à son impatience. Une autre sensation, aussi, mais elle refusait d'y prêter attention : le pressentiment que son impatience allait lui coûter très cher. Elle aurait dû appeler Tom.

Ses cuisses touchèrent le fauteuil. Elle s'allongea sans même allumer. A quoi bon perdre du temps puisqu'elle couperait ensuite la lumière ? Son index poussa le petit interrupteur.

Elle voulait un décor familier.

Il apparut : une vue plongeante sur des blocs d'immeubles de quatre étages, aux briques noircies par la pollution. Ils possédaient encore toutes leurs vitres ; les Afro-américains et les Portoricains qui habitaient le quartier ne roulaient pas sur l'or mais échappaient à la misère. Çà et là, des pans d'obscurité entre les fenêtres éclairées révélaient la présence de bâtiments incendiés par leurs propriétaires pour toucher une assurance ou déloger des locataires devenus indésirables.

La scène semblait filmée depuis le cockpit d'un avion cherchant à se poser. Sa destination apparut.

Au beau milieu du quartier, encadré par quatre rues rectilignes ponctuées de rares lampadaires, un gigantesque terrain vague. Tout a été rasé. Proprement. Des déblais jonchent le sol mais on les a nivelés. Ils percent par endroits la fine croûte de neige gelée qui les recouvre. Quelques ruines de murs, hautes d'un mètre au maximum, tracent de leurs ombres l'emplacement des anciennes constructions.

Une maison, au milieu de cet immense quadrilatère. Elle est vieillotte, en bois, avec un auvent traditionnel soutenu par deux colonnes. Une muraille d'immeubles de rapport a étouffé pendant plus de cinquante ans ce vestige du XIXe siècle. Elle l'a en même temps miraculeusement préservé. Un minuscule jardin à l'abandon l'entoure. Trudy Johnson et Alice Godsend habitent l'ancienne demeure en attendant qu'elle devienne la curiosité d'un complexe résidentiel aux loyers prohibitifs.

« Et alors ? se demanda Alice. A quoi rime ce survol touristique ? A quoi est-ce que je veux en venir ? »

Une fois de plus, la quantité de détails que Sphinx puisait dans sa mémoire la surprenait. Elle n'aurait jamais pu retrouver consciemment autant de précisions. Comme la forme et l'emplacement de chaque caillou ou gravat, par exemple. Or elle aurait pu jurer qu'ils correspondaient tous exactement à la réalité.

Elle atterrit dans le jardin, sur le flanc de la bicoque. Deux rectangles de lumière tombaient des fenêtres. Une tête émergea de la nuit. Alice figea la lionne. Les iris pailletés d'or demeuraient invisibles dans la pénombre. Elle se força à attendre encore. A résister à la tentation de la puissance, de la fluidité de mouvement. Son corps de femme en devint d'autant plus présent avec ses jambes tout en longueur, ses seins lourds et fermes.

La bascule se fit sans qu'elle l'eût réellement décidé, comme si le fauve l'avait aspirée. Elle ne possédait soudain plus sa propre poitrine mais une cage thoracique beaucoup plus ample qui pompait placidement un air glacé. Son haleine sculptait des silhouettes de vapeur blanche au relief étonnant. Un relent de gaz d'échappement se mêlait au parfum lourd de la terre. Des plantes émettaient leurs effluves altérés par le froid. Et toutes ces senteurs rayonnaient dans ses sinus et sa gorge.

La lionne voyait dans le noir même si les couleurs demeuraient délavées. La fenêtre l'attirait. Elle y fut en deux foulées. Elle avait froid. Mais beaucoup moins qu'elle n'aurait dû. Son pelage la protégeait. Et son organisme tirait sur ses réserves pour maintenir sa température. Elle se souleva sur ses pattes arrière, appuya celles de devant sur le rebord de la fenêtre. Celle-ci fermait mal. Une odeur lui parvint. Celle de l'homme. Elle éveilla en elle une impatience furtive et contradictoire. Un désir diffus de passer à table mais ailleurs.

Dans le salon, Tom regardait la vieille télévision posée par terre derrière la porte donnant dans la cuisine. Alice ne lui avait jamais vu un visage aussi noir. Un tic nerveux tendait par instants sa joue. Elle remarqua une boule de papier froissé près de la table. Le message où elle s'excusait de reprendre la voiture. Et où elle promettait de téléphoner.

Trudy et Anita discutaient sur le sofa décoré de constellations. Anita avait une expression inquiète. A en juger au débit et à l'agitation des mains de Trudy, celle-ci devait s'efforcer de la rassurer. Anita leva soudain la tête. Ses yeux s'écarquillèrent. Elle tendit un doigt.

Elle le braquait sur la fenêtre.

La lionne réagit immédiatement : elle s'enfuit. Alice se laissa emporter par le plaisir de la course. Ses muscles roulaient avec aisance, riches d'une incroyable réserve de puissance. La voiture d'Anita était garée derrière la maison, tout au bord de l'allée qui traçait une bande rectiligne jusqu'à la rue. Alice ne prit pas garde à l'odeur. Le corps de la lionne, si, mais elle le força à continuer. Son ouïe si fine, si développée, percevait la rumeur qui montait de la ville. Ce murmure l'appelait. Il y avait tant d'expériences à tenter, tant d'endroits à redécouvrir au travers de ses sens de félin.

Accroupi, serré dans son anorak molletonné, Hulk montait la garde derrière le coffre, sa bombe lacrymogène favorite à la main. C'était Tommy qui lui avait donné son surnom d'après le personnage de bande dessinée. A cause de sa carrure. Tommy était l'intellectuel du gang, celui qui lisait et qui les avait branchés sur la suprême divagation. Il était aussi le spécialiste des antivols. Un véritable magicien, Tommy, dès qu'il s'agissait de piquer une bagnole. Hulk sourit et releva d'une chiquenaude la longue visière de sa casquette de baseball.

Nom de Dieu Impuissant, il fallait être dingue pour laisser traîner un carrosse pareil au beau milieu de leur territoire. Mais les gens étaient dingues. Le monde était dingue. Alors, les Black Pranksters étaient encore plus dingues. Ils avaient d'ailleurs choisi « Encore Plus Dingues » comme devise secrète. Cette voiture, ils s'en serviraient pour enflammer les mirettes de tout le quartier. Une Thunderbird années 60 ! Brouté soit le Prophète pour ce cadeau du ciel ! Ce coupé, les Pranksters allaient le transformer en un autel à la divine démence. Une machine à zigzaguer dans la quatrième dimension...

Alice contourna l'immense capot avant. Les zones d'ombre et de lumière sur la carrosserie semblaient étrangement détourées. Elles composaient un tableau abstrait et changeant. Cette vision nocturne transformait entièrement tout ce...

Le cri la surprit. Une silhouette pivota. Virevolta ! Il y eut un claquement sec qui la terrorisa. L'ouverture d'un couteau à cran d'arrêt !

Et l'odeur rougeoyait dans ses fosses nasales comme un incendie. La peur. L'homme qui a peur !

Elle vit sa patte jaillir. Perçut le flot d'énergie qui s'y concentrait, tendait les griffes rétractiles. Le sang gicla, noir. Et son parfum formait une vague qu'elle ne pouvait endiguer. Ni même supporter. Pas plus qu'elle ne pouvait supporter l'effroi, absolu, qui lui arrachait le contrôle de la lionne.

Le jeune Noir hurlait en serrant son bras lacéré. Le fauve bondit. Il atterrit les quatre pattes posées sur l'adolescent, les crocs plantés dans la gorge palpitante. D'une secousse de la tête, il arracha ce qu'il mordait. Sa peur ronflait comme un incendie, un bruit de course l'augmenta encore. L'animal s'enfuit, ventre à terre.

Alice perdait pied. La panique la gagnait, insoutenable. Le fauteuil ! Elle voulait regagner le fauteuil, quitter ce cauchemar délirant.

« Je veux que ça S'ARRETE ! »

Mais ça continuait ! Une force brute la submergeait. Il n'y avait plus place pour un esprit dans le corps qu'elle occupait, l'instinct de survie avait tout envahi. Et cet instinct se manifestait par une peur abjecte, fondamentale, inacceptable, qui balayait toute capacité de raisonner. Alice sentit sa conscience se diluer au contact de cette terreur. Elle eut une dernière pensée :

« J'ai voulu jouer et j'ai perdu. »

Le cri de Tommy fit sursauter Hulk. Le claquement sec du cran d'arrêt l'affola. Merde, qu'est-ce qui se passait ? Avec une lame, Tommy ne savait que dénuder les fils d'un démarreur.

Hulk accrocha son pantalon au pare-chocs, étouffa un juron. Pas le moment de déconner. Il se dégagea, s'écarta de la voiture, plissa les yeux. Les premiers lampadaires se trouvaient trop loin, il ne voyait de Tommy qu'une ombre. Il semblait seul. Il hurlait, le bras droit tenu loin du corps. Quelque chose en dégoulinait. Il bascula soudain en arrière et Hulk découvrit la bête accrochée à sa gorge. Il se précipita, sa bombe brandie. Saloperie de clebs ! Il n'eut pas le temps de l'aveugler. La bête détalait, une grosse masse de chair dans la gueule. Tommy !

Hulk s'accroupit à côté de son ami, posa la main sur sa poitrine. Elle se soulevait par spasmes en émettant des gargouillis. Il fouilla dans sa poche, alluma son briquet. Il l'éteignit aussitôt. Des larmes d'acide rongeaient ses yeux. Tommy n'avait plus de cou. Rien. Le sang giclait par saccades des carotides. Le bruit horrible que faisait sa trachée cessa. Ses côtes ne bougeaient plus.

Hulk s'élança. Ils allaient le payer. Ils allaient le payer au centuple, ces charognards de Chicanos avec leurs saloperies de chiens. Il vomit et ne s'en aperçut même pas. Il courait. Cette fois, les membres du gang n'avaient plus d'autre choix que de bouger leur cul. La guerre sainte démarrait.

C'était comme d'émerger d'un cauchemar. On ne se souvient pas de ce qui vient de se passer ni de l'horreur que l'on éprouvait mais on se rappelle que l'on éprouvait cette horreur. L'esprit d'Alice se reconstituait. Trier dans ses perceptions redevenait possible. Par exemple, isoler le battement sourd et lancinant du cœur des ondes de terreur que pulsaient les jets d'adrénaline. Cette terreur diminuait, on arrivait aussi un peu à penser. A déduire de la brûlure dans ses muscles que la lionne venait d'effectuer une longue course.

Alice ne s'intéressait pas encore au décor. Elle réfléchissait. La lionne n'existait pas, elle n'était qu'un produit de son imagination. Et pourtant, elle pouvait en perdre le contrôle... Plus surprenant encore, elle n'avait pas pu retourner au fauteuil. Comme si une partie d'elle-même le refusait. Alice ne trouvait qu'une explication. Une explication tirée par les cheveux mais qui sonnait juste : ce qui s'incarnait dans la lionne, c'était un instinct animal inscrit au plus profond de ses gènes malgré des millions d'années d'évolution. La réponse qu'elle cherchait au sujet de son tigre se cachait là : *Alice Godsend, elle aussi, était une bête sauvage.* Du moins, une partie d'elle l'était. Une partie muette en temps normal mais à qui Sphinx accordait un corps.

Ça expliquait entre autres son acharnement à vouloir achever le tableau du tigre. Avant même de rencontrer Harryman, elle recherchait inconsciemment cette dimension instinctive de sa personnalité. Si le petit psychologue l'avait devinée, il aurait quand même pu prévenir.

Alice se demanda où elle se trouvait. Des formes très sombres émergeaient d'une épaisse obscurité. Elle reconnut un cadre de fenêtre brisé, un sommier rouillé, des cartons éventrés, une cloison de planches poussiéreuses... Une cave. Elle était dans une cave. La porte à claire-voie pendait au bout d'un gond tordu.

Une ombre jaillit soudain dans le petit sous-sol. Instantanément, la peur revint, aussi dense qu'un mur. La lionne bondit sur ses pattes, grondante. Cette fois, l'esprit d'Alice assuma la terreur. Cet effroi lui appartenait, aussi nécessaire à sa survie que la douleur. Elle percevait maintenant qu'il nourrissait un autre sentiment : une volonté absolue de vaincre. La terreur servait à cela, effacer tout doute ou hésitation. Elle devenait supportable. Affolante mais supportable.

Face au félin, le chien grondait. Il ressemblait à un monstrueux bulldog grisâtre, au collier hérissé de pointes. Un de ces horribles pit-bulls spécialement sélectionnés et dressés pour tuer. La bête bondit, gueule ouverte. Alice vit sa propre patte fuser, déchiqueter les babines. Son attaquant roula sur le sol en couinant. La lionne bondit, mordit dans les reins.

Une torsion de la tête. Un craquement. Le pit-bull hurla.

Alice se laissa emporter par l'enivrante volupté. Elle avait triomphé du danger. Le bruit de galopade derrière la paroi de planches qui fermait la cave ne la troubla pas. Les coureurs s'éloignaient. Ils fuyaient.

CHAPITRE XII

Les BLACK PRANKSTERS passaient à l'assaut. Enfin ! Hulk pleurait. Ils auraient dû réagir tellement plus tôt. Dès que ces salopards du gang des LOBOS avaient commencé à fourguer leur crack dans le quartier. Qu'est-ce qu'ils en avaient à foutre du pourcentage que les Chicanos leur refilaient sur les ventes ? Ils pourrissaient tout avec leur merde. Transformaient en zombies de futurs « délirants ». Et ils gagnaient du terrain. Grignotaient peu à peu le territoire des PRANKSTERS grâce à la trouille que provoquaient leurs chiens.

Mais c'était fini. La sublime extravagance allait balayer ces bouffeurs de *tacos.*

La voiture ralentit, dépassa un lampadaire puis s'arrêta dans une zone d'ombre au coin de la rue.

— On y est ! marmonna Donald Dingue.

Mais il ne lâcha pas son volant. Il vieillissait. A vingt-cinq ans, il n'était plus le chef dont ils avaient besoin. A l'arrière, Hulk se pencha par-dessus le dossier de la banquette, serrant plus étroitement le corps de Tommy contre lui.

— Alors, allons-y ! grinça-t-il.

— Tu crois que les autres sont déjà arrivés ?

Hulk l'attrapa par le lobe de l'oreille, colla ses lèvres au pavillon.

— Ils sont là, murmura-t-il d'un ton menaçant. Ils sont prêts à venger notre frère, *eux*. Mais tu peux rester ici, si tu préfères. Je les mènerai au combat. Avec Tommy. C'est pour ça que tu m'as emmené le récupérer.

Hulk descendit de la vieille Chevrolet. Il attrapa le cadavre de son ami par la taille, le pressa contre son ventre. Il avança d'un pas raide dans la rue. Une portière se referma discrètement dans son dos. Donald s'était décidé, finalement. Hulk entendait aussi des frôlements, des murmures. Il devinait les ombres qui se détachaient des entrées d'immeubles, se glissaient le long des façades. Joe, Sleek, Andy et tous les autres. Les dingues.

Le numéro trente-cinq de la 47e Rue n'était pas difficile à repérer. De longues taches noirâtres souillaient sa façade au-dessus des fenêtres aux vitres brisées. Le premier immeuble du voisinage à avoir été incendié par son propriétaire pour toucher l'assurance. Les LOBOS y avaient établi leur quartier général.

Hulk gravit la dizaine de marches qui menaient à l'entrée. Il gratta la peinture cloquée de la porte. Un grognement lui répondit. L'adolescent envoya d'un coup de pied le battant s'écraser contre le mur. Le chien qui montait la garde se trompa d'ennemi, il saisit à la gorge l'homme qui fondait sur lui. Ses crocs crissèrent sur les vertèbres. Il reconnut l'odeur de la mort, lâcha sa proie, virevolta. Le jet de peinture fluorescente l'aveugla et brûla ses narines.

Il se mit à claquer des dents au hasard, tout autour de lui. Hulk enfonça d'un coup brusque sa bombe dans la gueule aplatie, bloquant les mâchoires. La valve se coinça au fond de la gorge. Le liquide à base d'acétone fusa directement dans les poumons du pit-bull. Celui-ci gémit, tituba. Il secouait la tête sans parvenir à se débarrasser de l'objet qui obstruait son gosier. Des volutes de buée vert pomme s'échappaient de la commissure de ses lèvres. L'animal s'écroula, le corps secoué de petits spasmes. Les PRANKSTERS sautèrent par-dessus et se répandirent dans tout le bâtiment. Hulk ramassa le cadavre de Tommy et l'assit contre un mur.

Un à un, ses amis vinrent le rejoindre dans l'entrée. Donald Dingue arriva le dernier. Il descendait du premier étage. Il s'arrêta au milieu de l'escalier, pieds largement écartés pour reposer sur les bandes métalliques qui avaient jadis soutenu la marche de bois maintenant calcinée. Par les portes ouvertes, une lueur mouvante jouait sur la peau noire des adolescents massés en dessous de lui. Celle des bougies et lampes de chantier allumées dans les pièces du rez-de-chaussée.

— Il n'y a personne ! lança-t-il. Une sentinelle a dû les prévenir qu'on rappliquait. Ils se sont barrés. On décroche.

— Non ! protesta Hulk. On a pas visité la cave. J'sais pas ce qu'ils y foutent mais je suis sûr qu'ils y sont. Ils auraient pas laissé la lumière partout, sinon.

— Au nom du saint troufion d'Allah, t'as fini de nous faire chier ? J'ai dit qu'on décrochait.

— Que Zeus t'éclate l'oignon, le Dingue ! s'écria Hulk, hors de lui. T'es plus qu'une lopette, un ordinaire. Mais Tommy et moi, on va leur montrer ce qu'est un PRANKSTER. Un véritable « délirant ».

Il attrapa le corps et le serra contre sa poitrine. Le groupe s'ouvrit devant lui. Atteindre la porte du sous-sol exigeait de se glisser sous l'escalier. Hulk se baissa. Il hésita.

— Y en a qui viennent avec moi ? interrogea-t-il en se retournant.

— Ouais, y en a un. Même qu'il a eu peur que t'oublies de demander.

C'était Joe « Casse Briques ». Presque aussi baraqué que Hulk, il portait une parka camouflée de l'armée sur un pantalon mauve et moulant. Un poing américain nickelé brillait à sa main gauche.

— Et y en a un deuxième !

Sleek. Une gueule de chérubin à la peau presque aussi claire que celle de Michael Jackson. Un spécialiste du nunchaku.

Les autres regardaient leurs pieds. Des larves. Pire, des rase-mottes. Des rêves américains. Hulk se sentait immense. Il avait envie de leur marcher sur la gueule.

— Prenez des lampes ! ordonna-t-il aux seuls amis qui lui restaient. On va en avoir besoin.

Molosse tirait comme un fou sur sa laisse en

poussant de petits jappements de chiot terrorisé. Hernando Brayda ne tentait pas de le retenir. Lui aussi était terrorisé. Tout comme Miguel qui courait derrière lui. Les faisceaux de leurs lampes de poche dansaient sur les cloisons de bois poussiéreuses. Et le feu de la cocaïne grillait leurs rétines et lacérait l'intérieur de leurs narines à coups de lame de rasoir. Ils avaient eu la main lourde, ce soir. Le nez avide. Mais il savait qu'il n'avait pas halluciné. Un monstre rôdait dans la cave ! Un monstre qui venait de tuer Cerbère.

Les garçons s'étaient réfugiés dans le sous-sol quand les chiens avaient repéré les PRANKSTERS. Il ne rimait à rien de vouloir les affronter à deux, même aidés des pit-bulls. Le reste du gang était parti acheter un nouvel approvisionnement.

Hernando aperçut les premières marches de l'escalier. « Merci, Sainte Mère de Dieu ! » Il saisit la rampe branlante. Elle lui permit de ne pas s'étaler quand Molosse s'arrêta net. Il grondait. Hernando leva la tête. Le feu de la dope devint glacé.

Un démon descendait vers lui, une lampe-tempête balançant au bout d'un de ses quatre bras. La lueur sourde éclairait ses yeux fixes, sa face ricanante qui semblait détachée de son corps. Hernando hurla, recula d'un pas. Buta contre Miguel. Le démon volait vers lui, aussi noir qu'un vampire. L'obstacle dans son dos céda. Trop tard, le démon le jetait au sol. Ils luttèrent dans l'obscurité, Miguel avait détalé avec sa torche et Hernando perdu la sienne. La créature infernale s'accrochait à lui de ses doigts rigides, aussi froids que la mort. Elle le bourrait de coups de tête, cherchait à le mordre. Il réussit à la saisir à la gorge. Le cou était maigre et dur comme de l'os, poisseux. Hernando serra de toutes ses forces, poussa. Des mains crochues agrippèrent son cou, griffèrent ses oreilles, s'emmêlèrent dans ses cheveux. Il se dégagea d'une secousse et se traîna sur les fesses, secoué d'incontrôlables sanglots. Le démon grondait. Un crissement sur le sol ! Le serviteur du Diable devait ramper dans sa direction. Le jeune Portoricain partit au galop, à quatre pattes. La folie faisait tourbillonner les ténèbres.

Hulk descendit prudemment les marches qui craquaient. L'incendie avait épargné le sous-sol, les laissant intactes. Tommy apparut dans le faible halo diffusé par sa lanterne. Le chien s'acharnait sur le cadavre en grognant.

— Laisse-le-moi ! souffla Sleek.

Il approcha sans un bruit, aussi souple qu'un serpent. Le pit-bull perçut sa présence, lâcha le bras qu'il déchiquetait. Le nunchaku siffla, s'abattit avec un claquement sec sur le crâne plat de l'animal. Molosse resta un instant immobile, gueule béante, comme statufié. Ses pattes s'écartèrent d'un coup. On aurait dit qu'elles glissaient sur du verglas. Ses dents claquèrent avec un bruit de cisaille. Son torse s'écrasa avec un son mat, soulevant un petit nuage de poussière.

Hulk avait récupéré son fardeau. Il leva son fanal. La lanterne de chantier n'éclairait même pas à deux mètres. Il distingua le début d'un couloir rectiligne, fermé par des palissades de bois crasseuses et au sol jonché de tessons de bouteilles et de copeaux de carton émietté par les rats.

— Bon, on procède systématiquement, dit-il. On leur laisse pas une chance de s'en tirer.

— Hulk, tu veux pas les tuer au moins ?

La tête de Tommy dodelina quand Hulk se retourna. Un léger craquement. Elle se nicha au creux de son épaule.

— Non, mon frère, répondit-il à Joe d'un ton grave. On les tue pas. On leur fout juste la trouille. Une trouille délirante !

Il éclata de rire et s'enfonça d'un pas décidé dans le couloir. Joe et Sleek échangèrent un regard. Ils sourirent. Enfin un peu de démence.

Derrière eux, Molosse ouvrit les yeux. Du sang suintait de ses oreilles aux pavillons coupés au ras des tempes. Il se mit en mouvement. Lentement, très lentement, ses membres ne pouvaient plus le soulever. Mais ils pouvaient encore le pousser en avant, comme les ailerons d'une tortue. La lueur qui s'éloignait était un guide. Une idée fixe.

Le pit-bull était mort, Alice n'eut pas à empêcher la lionne de l'asphyxier. Eviter qu'elle dévore glande thyroïde et organes génitaux s'avéra plus difficile mais l'idée la répugnait tellement que son dégoût coupa l'appétit du corps qu'elle occupait. Elle commençait à mieux s'entendre avec le fauve qu'avait créé son inconscient mais elle sentait que si elle voulait en garder le contrôle, elle ne devait plus se laisser surprendre.

Elle avançait lentement vers la sortie, aux aguets.

Elle ne percevait plus d'odeur de chien. Juste celle d'un adolescent. Deux maintenant. Ces gosses ne présentaient pas de danger. Elle préféra cependant s'arrêter et attendre. Pour sa partie animale, l'homme demeurait la pire des menaces.

Un feulement naquit dans sa gorge quand ses narines perçurent l'existence de trois jeunes supplémentaires. Tous, ils approchaient. Un deuxième couloir partait à la perpendiculaire sur sa droite. Elle s'y engagea et s'aplatit au sol, l'oreille tendue.

Sleek ouvrait la voie. Chaque fois qu'il atteignait une porte, il se jetait d'un bond silencieux dans l'ouverture, sa lanterne dressée. Joe vit soudain sa main filer vers le fléau accroché à sa ceinture. Elle n'eut pas le temps de le saisir. Hernando le bouscula et fonça droit devant lui dans le boyau obscur.

Hulk en tête mais encombré par Tommy, les trois PRANKSTERS se lancèrent à sa poursuite. Ils arrivèrent à un embranchement.

— Tu restes là ! ordonna Hulk à Joe. Tu veilles sur lui.

Il posa Tommy au sol, hésita moins d'une seconde et choisit le nouveau couloir. Trois pas plus loin, une forme apparut dans le halo de sa lanterne.

— Merde ! souffla-t-il.

Alice les avait entendu arriver. Elle réussit à retenir la lionne, à la faire reculer en grognant. Elle ne comprit pas le mouvement qu'effectua soudain Sleek, ne réagit pas quand le nunchaku siffla. Le cylindre de chêne claqua sur son museau et la souffrance déferla comme une tempête de sable abrasif.

Le garçon frappa à nouveau. Un coup qui déboîta l'épaule de la lionne. Alice ne chercha pas à maîtriser l'animal plus longtemps. Sa patte valide fusa, trouva la chair, sectionna des tendons. Racla l'os. Son adversaire cria, jeta un objet vers elle. La lanterne explosa. Une langue de flammes coula du réservoir d'essence, sinua dans la poussière jusqu'à un tas de copeaux. Il s'embrasa.

Alice aurait voulu pouvoir hurler. Il fallait sauter. Maintenant ! Avant que l'incendie ne soit devenu infranchissable. Mais la panique tétanisait le corps qu'elle habitait. Une terreur atavique, inviolable. Et de nouveau, l'affolement la gagnait, la noyait. Elle n'était plus rien, ne se souvenait plus de rien. Il ne restait que le feu. Elle reculait pas à pas, ventre au sol, en geignant.

Le sang pissait du bras en charpie de Sleek. Les trois PRANKSTERS couraient. L'incendie se propageait à une vitesse incroyable. Ils l'entendaient rugir dans leur dos. Hulk ne prit pas garde à la masse plus claire apparue dans le cercle jaunasse et dansant diffusé par sa lampe. Il s'écarta juste un peu pour ne pas buter dedans. Les crocs de Molosse happèrent sa cheville et il s'étala, bras en croix. Sa lampe vola.

Hulk retint son cri de douleur. Il donna un coup de pied dans la gueule du chien blessé et ne put s'empêcher, cette fois, de hurler. Une fumée noire et âcre envahissait le boyau. Joe s'accroupit à côté du pit-bull. De grosses veines battirent sur ses tempes comme il forçait pour ouvrir les mâchoires.

— J'y arrive pas, Hulk ! siffla-t-il entre ses dents serrées. J'y arrive pas !

Sleek s'appuyait contre la cloison. Ses jambes cédèrent sous lui. Il s'avachit lentement, comme s'il se dégonflait. Il était livide.

— Emmène-le ! ordonna Hulk. Il est en train de se vider. Il lui faut un médecin. Je vais me débrouiller, t'inquiète pas.

— Mais...

— Barre-toi, j'te dis !

Le ton était sans réplique. Joe chargea Sleek sur son épaule et partit au petit trot. Hulk tira, tira tant qu'il put malgré la souffrance. Ses ongles griffaient le sol de terre battue. Rien à faire, cette saloperie de bestiole pesait une tonne. Il allait crever là.

Il entendit galoper Miguel et Hernando. Ils toussaient en courant. Ils sautèrent par-dessus lui et il ne chercha pas à les attraper.

Acculée contre un mur, Alice ne pouvait plus reculer. L'incendie ronflait dans sa poitrine, calcinait ses poumons, cautérisait ses muqueuses nasales à vif. Son pelage brûlait, sa peau cloquait, grésillait. Elle ne voyait plus rien, le feu avait détruit ses yeux. Un craquement couvrit le rugissement du brasier. Rongée par les flammes, la cloison s'effondra d'un bloc. Elle lui brisa l'échine.

Alice mourait, immergée dans un bain de lave. Pire encore que la souffrance, la terreur lui interdisait toute pensée cohérente.

CHAPITRE XIII

Anita ouvrit d'un coup les yeux dans le noir. A côté d'elle, Trudy ronflait légèrement. C'était elle qui avait insisté pour partager son lit avec son amie. Elle se sentait moins seule ainsi, disait-elle, même si elle aurait préféré inviter un homme dans sa couche. Une faible lueur filtrait entre les rideaux. Anita se leva et les écarta. Le jour se levait, irisant de violet la laque impeccable de sa Thunderbird. Il n'y avait pas d'autre voiture en vue.

Elle s'habilla rapidement et se glissa sans bruit hors de la chambre. Une sourde angoisse lui serrait la poitrine. Dans la pièce voisine, Tom semblait mort. Elle lui secoua l'épaule et il se redressa avec la violence d'un ressort.

— Hein ? Quoi ?

Anita lui laissa le temps de se réveiller. Elle aimait bien cette chambre, ses murs blancs, les vêtements méticuleusement pliés sur une étagère en tubes d'acier, les deux affiches et la lithographie mises sous verre.

— Alice n'est pas rentrée.

Tom passa la main dans ses cheveux ébouriffés. Il avait les yeux gonflés et un pli amer barrait sa bouche.

— Et alors ? Elle devait aussi téléphoner et elle ne l'a pas fait. Plus grand-chose ne l'intéresse en dehors de son foutu tigre et de ce petit professeur Hardiment.

— Harryman. Il faut que nous en parlions sérieusement. Tout indique désormais qu'elle est en danger.

— Oh non ! (Tom se laissa retomber sur l'oreiller.) Tu nous as déjà branchés là-dessus hier soir. Les rêves prémonitoires. La carte du Pendu qu'arrête pas de sauter de ton jeu de tarot. Le Yi-king qui s'angoisse l'hexagramme. Le seul danger qui menace Alice, c'est une crise de monomanie créatrice. Comme il s'agit là d'une forme particulièrement énervante de schizophrénie, je vais profiter de l'absence de la malade pour dormir encore un peu. Après, j'irai porter plainte pour vol de voiture.

— Je vais préparer du café. Je ne plaisante pas, Tom. Et toi, tu ne plaisanterais pas autant si tu n'étais pas inquiet.

Le jeune homme bondit hors du lit. Sans se soucier du fait qu'il était nu, il marcha sur elle à grands pas. Furieux, il agita un doigt sous son nez.

— Ecoute-moi bien, Anita. Je m'en fous que Harryman, ça ressemble à Ahriman et que Ahriman veuille dire le Diable chez les Hébreux.

— L'esprit du mal chez les Perses.

— Si tu veux même tout savoir, je m'en foutrais

qu'elle couche avec Harryman. Au moins, si elle partait le rejoindre dans ce but, elle n'oserait pas me piquer ma bagnole. Non, ce qui me gêne, c'est sa putain d'ambition artistique. Qu'elle bute sur un problème ou qu'elle découvre un truc auquel elle n'avait pas pensé avant, subitement plus rien d'autre ne l'intéresse : « Tom Hopkins ? Hein, qui ça ? »

— Tu exagères. Calme-toi, je t'attends en bas. Je crois qu'il faut aller la chercher.

— Eh bien vas-y. Moi, je ne veux plus entendre parler d'elle.

On frappa à la porte d'entrée pendant que le café passait. Anita frissonna en ouvrant. Elle ressentait de nouveau cette impression d'être observée. Une impression qu'elle éprouvait souvent lors de séances de spiritisme. Jamais, pourtant, elle n'avait perçu en même temps une telle menace. Un « regard » pesait sur elle qui n'était pas humain et qui la haïssait.

Sur le porche, les deux flics souriaient. Anita trouva le jeune blond franchement mignon. Celui qui avait la main posée sur la tondeuse.

La souffrance s'arrêta d'un coup. L'air ne brûlait plus, il était même frais. Une légère odeur de café l'imprégnait.

— Je me suis permis de couper mon appareil, fit la voix du professeur Harryman.

Alice respirait doucement, paisiblement. Son soutien-gorge la serrait un peu. Une étrange sérénité l'emplissait malgré une certitude : elle avait failli véritablement mourir en même temps que la lionne.

— J'ai aussi préparé du café, poursuivit le psychologue. Je vous en ai amené une tasse. Mais si vous préférez, nous pouvons le boire dans mon salon. Peut-être avez-vous envie de parler ? Nous serons mieux installés.

Alice se tourna vers lui. Il souriait. Une lueur orangée, très pâle, comme un reflet de l'incendie, dansait dans ses iris délavés. Pour une fois, il ne paraissait pas harassé par l'ennui. Oui, Alice avait envie de parler. Du moins, elle avait envie qu'il parle. Il lui devait des explications. Sans un mot, elle descendit souplement du fauteuil. Elle se sentait belle et intensément vivante. Elle aurait volontiers fait l'amour. Elle précéda le petit homme jusqu'à son appartement au fond du couloir.

L'entrée lui causa une curieuse impression, celle de pénétrer dans un décor. On semblait n'avoir jamais foulé l'épaisse moquette de laine écrue, jamais enfilé l'imperméable accroché à une patère à gauche de la porte.

— Veuillez pardonner l'austérité de mon logis, dit Harryman en l'invitant d'un geste du bras à passer dans le salon. Je vis seul et les hommes ne savent pas rendre une demeure accueillante.

Le salon aussi manquait singulièrement de vie avec son mobilier moderne, ses livres jamais ouverts serrés dans une bibliothèque sans cachet. Là aussi, tout semblait flambant neuf. Une cafetière fumante attendait sur un plateau posé sur une table basse en aluminium brossé. Harryman servit le café dans des tasses octogonales vert émeraude. Alice s'arrêta devant une lithographie que son cadre laqué noir mettait en valeur sur le mur crème. Si on la regardait bien en face, on ne voyait qu'un simple trait gris se tordant en un inextricable fouillis. Les formes surgissaient lorsqu'on tournait la tête et que la gravure se trouvait à la limite du champ de vision. Des visages dans des nuages, des monstres insaisissables. Ils disparaissaient dès que l'on cherchait à les fixer. Alice ne reconnut pas la signature illisible.

Avachi dans une chauffeuse en cuir clair, le professeur l'étudiait en souriant par-dessus le rebord de sa tasse. Elle s'assit sur le divan assorti, en face de lui. L'impression qu'on venait de déballer les meubles pour tourner cette séquence lui déplaisait. Elle se sentait en représentation. Elle prit un sucre, tourna lentement sa petite cuillère en évitant de la heurter contre les pans de porcelaine. Le sang battait dans ses artères, courait dans ses veines. Rien d'autre ne paraissait avoir de réalité dans cette pièce. Elle attendait.

— Vous possédez des fantasmes éminemment sains, affirma finalement le psychologue. Une partie de nous doit mourir si nous voulons atteindre un stade supérieur. Et quoi de plus purificateur que la destruction par le feu ?

— Je n'arrivais plus à retrouver ma forme humaine.

— Vous voulez dire que votre esprit voulait continuer à s'imaginer animal.

Alice balaya l'interruption d'un geste de la main.

— Que se serait-il passé si vous n'aviez pas arrêté votre machine ?

Il se pencha vers elle, les coudes posés sur les genoux.

— Comment savoir puisque je l'ai arrêtée ?

— Je ne plaisante pas, *docteur* Harryman. Je *mourais*, je m'en souviens très bien. Comme je me souviens de la souffrance. Qu'est-ce que je risquais pour que vous soyez intervenu ?

Il écarta les mains en secouant la tête.

— Je n'en sais vraiment rien. Vous vous tordiez si violemment sur le fauteuil que j'ai cru que vous alliez tomber. J'ai préféré vous éviter cette chute.

Il se foutait d'elle. Elle était prête à jurer que son corps ne bougeait pas d'un millimètre lorsqu'elle utilisait Sphinx.

— Vous mentez, dit calmement Alice.

Il en rajouta dans la mimique innocente :

— Pourquoi ferais-je une chose pareille ? Vous ne pensez tout de même pas que vous risquiez de décéder réellement ?

— Pourquoi pas ?

— Parce que si vous pensez ça, alors vous croyez que ma machine vous entraîne dans des aventures qui sont vraies. Qu'elle ne se contente pas de vous plonger dans ce que l'on pourrait appeler un spectacle total mais qu'elle modifie la réalité. Est-ce que vous croyez ça, Alice ?

L'enfoiré. Il souriait et des reflets d'incendie continuaient à pétiller dans ses yeux. Alice posa sa tasse vide. Il jouait avec ses nerfs mais elle n'éprouvait même pas l'envie de se mettre en colère. Ce salopard de psychologue avait au moins dit la vérité sur un point : l'expérience qu'elle venait de vivre l'avait transformée. En bien. Elle n'avait jamais ressenti une telle assurance.

— Ecoutez, Harryman, vos petits jeux me lassent. Tester votre appareil exige peut-être de laisser vos cobayes dans le doute mais j'ai le sentiment que vous en rajoutez pour le plaisir. Pour tromper l'ennui. (Elle se leva.) Vous ne semblez pas avoir une vie très intéressante, docteur. Vous ne m'amusez plus. Ne me reconduisez pas, je connais le chemin. Comme nous ne nous reverrons pas, je compte sur votre bonne éducation pour m'envoyer le chèque réglant ce que vous me devez. Je laisserai la clé sur la porte du laboratoire.

— Au revoir, Alice.

Elle se retourna :

— Adieu, docteur.

Elle vit son expression changer, l'immense lassitude qui s'abattait sur ses épaules. Comme si l'existence redevenait tout à coup effroyablement prévisible.

Le samedi matin à six heures, New York tourne au ralenti. En cette journée d'hiver, la ville paraissait particulièrement engourdie, y compris sur le Manhattan Bridge presque désert. Il faisait toujours aussi froid dans la voiture de Tom. *Tom.* Alice lui devait des excuses. Et un très gros câlin.

Qu'allait-elle lui raconter, la vérité ? Mais quelle vérité ? Comment expliquer ce qui s'était passé ? A en croire Harryman, son inconscient avait profité des possibilités offertes par Sphinx pour se défouler. Dans ce cas, il s'était sacrément défoulé ! Alice supposait auparavant qu'elle possédait comme tout le monde une face cachée et perverse mais elle ne l'aurait jamais soupçonnée aussi gratinée. Un point la gênait, pourtant. Fantasme masochiste ou pas, elle restait persuadée qu'elle serait vraiment morte si Harryman n'avait pas arrêté sa machine. Et elle ne trouvait pas d'explication à cette conviction.

En prenant l'allée, elle enregistra sans surprise que la voiture d'Anita était garée derrière la maison. Elle s'y était attendue mais éprouva un petit pincement au coeur. Trouverait-elle l'amie de Trudy dans le même lit que Tom ? Elle coupa le moteur de la Mustang, ouvrit la portière. On n'entendait pas un bruit, il n'y avait pas un souffle de vent. Alice se figea. Elle n'arrivait plus à bouger...

La Ford beige, la bicoque en arrière plan, le terrain vague autour d'elle et les immeubles qui le cernaient, jusqu'aux lampadaires le long de la rue, tout prenait une densité, une précision insupportable. Elle se sentait agressée par une multitude de détails. Ils lui rappelaient la précision avec laquelle Sphinx avait recréé ce décor.

Et alors ? Elle possédait l'explication : jour après jour, sa mémoire visuelle avait enregistré le paysage familier. Mais comment avait-elle pu deviner au centimètre près l'endroit où se rangerait Anita ?

Elle s'accroupit auprès du véhicule. Il y avait des taches sombres sur le sol, près de la portière arrière. Mais il y avait des taches sombres un peu partout. Le tacot de Tom déposait une flaque d'huile à chaque arrêt.

Et puis merde ! A quoi bon se torturer l'esprit ? Elle avait envoyé chier Harryman et ses expériences à la con. Ce qu'elles lui avaient appris sur elle-même n'était pas des plus plaisants mais elle aurait le temps de faire le tri plus tard. Pour l'instant, elle avait surtout besoin d'un petit déjeuner et d'une douche. Elle gravit rapidement les marches du perron.

Personne dans le salon mais une délicieuse odeur de café provenait de la cuisine. Alice espérait y trouver Tom, il n'y avait qu'Anita. La femme brune leva les yeux des cartes qu'elle avait étalées sur la table. Elle portait un très beau pull en cachemire décoré d'un motif précolombien brodé sur la poitrine.

— Vous ne croyez pas aux tarots, n'est-ce pas ? demanda Anita.

— Non, je suis honteusement matérialiste.

Alice prit une tasse dans l'égouttoir en bois accroché au-dessus de l'évier. Elle n'avait pas envie de discuter.

— Quelque chose vous menace, Alice. Quelque chose que je suis bien obligée de qualifier de « diabolique », je ne vois pas d'autre mot.

— Est-ce que Tom a dormi ici ?

— Oui, dans votre chambre. Vous devriez m'écouter. Nous courons tous un danger et je crois qu'il émane de cet institut de psychologie.

Alice se laissa tomber sur une chaise. Autant vider l'abcès tout de suite.

— Anita ! soupira-t-elle. Je vous trouve sympathique mais ce genre de divagation m'exaspère. Si jamais je change d'avis et estime avoir besoin d'un exorcisme, je vous ferai signe.

A sa grande surprise, l'autre éclata de rire.

— Je vous comprends parfaitement. Malheureusement pour moi, je ne peux pas me débarrasser de ces *divagations* aussi simplement. J'y suis trop sensible... Et puis, elles me permettent de gagner ma vie. Rassurez-vous, je n'ai pas l'intention de vous facturer la consultation mais accordez-moi quelques minutes. La conversation nous occupera en attendant que la police repasse.

— La police ?

— Un incendie s'est déclaré cette nuit dans un immeuble squatté par un gang de jeunes Portoricains. On a retrouvé des cadavres au milieu des décombres. Un règlement de compte entre bandes rivales, apparemment. Ils cherchent des témoins.

Un poing glacé serra le ventre d'Alice.

— Vous avez d'autres détails ? demanda-t-elle d'une voix blanche.

Anita fronça les sourcils, intriguée.

— Je sais juste ce qu'en ont dit les officiers venus tout à l'heure. Deux beaux garçons, d'ailleurs. Un coup de téléphone anonyme a signalé le feu aux environs de cinq heures ce matin. Après avoir maîtrisé le sinistre, les pompiers ont découvert deux corps dans la cave.

— Il y avait des chiens ?

— Des chiens ? Ils n'en ont pas parlé. Mais ces voyous ont tous des chiens maintenant. Ces pit-bulls horribles avec leurs pattes tordues.

— Ça s'est passé où ?

— A deux rues d'ici. Dans la 47e. Quelqu'un a raconté aux policiers qu'il avait vu deux de ces gosses se diriger vers la maison. Alors ils sont venus pour un interrogatoire de routine. Au cas où...

Alice n'arrivait pas à croire qu'il s'agissait du même incendie que celui qu'elle avait affronté cette nuit. Mais elle ne parvenait pas à en douter non plus. Elle ne connaissait qu'un seul moyen d'en avoir le cœur net.

— Anita, j'ai besoin d'une voiture. J'aimerais laisser la sienne à Tom. Est-ce que vous me prêteriez la vôtre ?

Alice vit les yeux d'Anita s'écarquiller.

— Vous prêter ma voiture ? Mais c'est une pièce de collection. Et puis je ne suis pas assurée.

— Tant pis. Je vais reprendre celle de Tom. S'il vous plaît, demandez-lui de m'excuser quand il se réveillera. Ce que je dois faire est vraiment important.

Anita s'était levée.

— Je ne peux pas vous prêter la Thunderbird mais je peux vous emmener. Comme ça, vous serez bien obligée de m'écouter.

Alice griffonna un message sur une feuille du calepin collé au flanc du frigo : *Tom, je t'aime. Je t'en supplie, n'en doute pas.* Elle le laissa avec les clés de la Mustang sur la table de la cuisine. Anita enfilait un épais blouson d'aviateur.

Elle poussa un véritable cri de souffrance en découvrant sa portière fracturée. Les hypothèses les plus folles tournoyaient dans l'esprit d'Alice. Aucune explication rationnelle ne tenait debout. Et aucune explication surnaturelle, si on en arrivait là, ne paraissait moins délirante qu'une autre.

Une idée s'imposa soudain, terriblement angoissante : elle rêvait et n'arriverait plus jamais à se réveiller.

Jill Page perçut la présence des deux femmes qui venaient de sortir de la maison. Elles s'éloignaient, montaient dans une voiture. Où allaient-elles ? A l'institut ? Elle songea à retourner dans son corps afin de les y attendre. Trudy sortit sur le porche à cet instant.

CHAPITRE XIV

— Eh, tu vas les pousser du milieu, tes grosses fesses !

La circulation, sur Broadway, avait retrouvé son intensité habituelle. Anita y zigzaguait en jurant et en jouant du klaxon. Un chouette klaxon, trouvait Alice, avec un son grave et pas agressif, un peu comme une corne de brume. Elle aurait préféré qu'Anita ait une conduite aussi pacifique que son avertisseur.

Bien qu'encore plus ancienne que le tacot de Tom, la Thunderbird s'avérait très confortable. Le chauffage marchait bien. Refaits à neuf, les sièges en cuir épousaient tendrement vos formes. Alice continuait à lutter contre la sensation qu'elle vivait désormais dans un rêve à la merci de règles du jeu devenues aussi changeantes que des caprices. Pour aider son esprit à s'engager sur une autre piste, elle relança Anita :

— Vous avez parlé du Diable, je crois ?

— J'ai parlé d'une menace diabolique parce que

nous avons tendance à englober sous ce genre de termes toutes les forces obscures et destructrices à l'œuvre dans le monde. C'est aussi le nom de votre psychologue qui m'y a fait penser. Un peu comme nous avec Satan, les Perses croyaient à un esprit du Mal unique. Ils l'appelaient Ahriman.

— Je vois. Et vous allez maintenant évoquer la coïncidence avec mon nom.

— Reconnaissez qu'elle est troublante. Alice Godsend. Alice l'envoyée de Dieu.

— Anita, je ne crois pas en Dieu. Et donc pas en son ange déchu.

— Mais vous venez de vivre des événements qui n'ont pas d'explication naturelle.

Alice poussa un soupir.

— Oui.

— Des événements destructeurs.

— Oui.

— Et Harryman est au centre de tout cela.

— Oui.

— Alors appelez-le comme vous voulez mais ne niez pas sa nature. Cet être est démoniaque.

La fatigue commençait à peser. Alice ferma les paupières. Elles les rouvrit aussitôt. Elle se força à regarder. A regarder les trottoirs, les rares passants emmitouflés. A regarder les stores baissés des villas, les feux des croisements, les panneaux routiers, les pelouses enneigées... A regarder de tous ses yeux. Tout semblait normal. Incroyablement banal. Elle n'avait pas besoin de se réveiller parce qu'elle ne dormait pas.

« Tu ne rêves pas. Tu ne rêves pas. Tu ne rêves pas... »

Elle ne réussissait pourtant pas à s'en persuader. Toutes ces histoires de Diable n'aidaient pas. Comment y croire ?

Avec la douceur d'un paquebot cassant son erre, la Thunderbird s'arrêta le long du trottoir. Anita ouvrit sa portière.

— Je viens avec vous.

Alice lui saisit le bras.

— Non, j'y vais seule.

— Vous risquez d'avoir besoin d'aide.

— Si j'affronte vraiment ce que vous pensez, le fait d'être deux ne changera pas grand-chose à l'affaire. Revenez me chercher dans une heure.

— Dans une heure ? Vous voulez que je traîne *une heure* à Staten Island un samedi matin ? Mais je vais périr d'ennui. Non, je préfère affronter une mort plus digne en votre compagnie.

Alice sourit mais ne lâcha pas le bras.

— S'il vous plaît.

— Bon, bon, entendu.

Malgré le froid, Alice attendit que la Ford disparaisse. Elle se sentait ridicule. Tout ceci n'avait aucun sens. Elle secoua brusquement les épaules et enfonça les mains dans ses poches. Ridicule pour ridicule, autant ne pas perdre plus de temps.

Postée derrière le store qui protégeait la fenêtre éclairant le premier étage, Jill Page la regarda grimper l'allée menant au *Panpsychological Institute*. Elle la perdit de vue un peu avant qu'elle atteigne l'entrée et regagna son laboratoire. Elle devait achever sa tâche. L'étape qui l'attendait maintenant la répugnait d'avance.

Alice bouillonnait de colère lorsqu'elle gravit les trois marches du perron. Elle avait compris, d'un seul coup, tandis qu'elle marchait en direction de ce bâtiment triste et fonctionnel ! Et l'explication n'imposait pas d'appeler Satan à la rescousse. L'appareil de Harryman jouait avec son cerveau. Il modifiait les échanges électriques entre ses neurones. En particulier, il court-circuitait la manière dont elle percevait l'écoulement du temps et séparait véritables souvenirs et expériences imaginées. Elle *croyait* avoir vécu une terrible épreuve cette nuit mais n'éprouvait en réalité qu'une formidable impression de déjà-vu, un faux souvenir. *L'engin de Harryman lui détraquait la mémoire.*

La preuve, elle avait oublié qu'elle ne possédait plus de clé de l'institut. Elle trouva la porte d'entrée légèrement entrebâillée. Elle aurait juré l'avoir laissée se refermer, et donc se verrouiller, en partant.

Personne dans le hall. Alice le traversa en trois enjambées rageuses. Son bras balaya le petit bureau. Moniteur, ordinateur et clavier volèrent. Alice avala l'escalier quatre à quatre. La porte de son laboratoire aussi était ouverte. Elle entra et la claqua derrière elle.

La terreur submergea sa fureur. Elle se noyait, fétu minuscule et fragile emporté par d'immenses ténèbres. Celles-ci tourbillonnaient, se tordaient, s'enroulaient autour d'elle, palpitant d'une vie atroce, inhumaine. Quelqu'un actionna le variateur et la lumière fit refluer cette présence glacée et vorace. Alice s'aperçut que ses dents claquaient.

— Oui, je sais. dit Harryman. Je fais un peu peur dans le noir. Je vous attendais, mademoiselle Godsend.

Alice retrouvait ses esprits. Sa colère, aussi. Elle la contint, l'empêcha de flamber. Elle en avait besoin pour résister à l'envie de s'enfuir mais tenait à conserver sa lucidité. Harryman se tenait assis dans le fauteuil, l'air tout à fait inoffensif. Il semblait seulement plus grand que le souvenir qu'elle gardait de lui. Mais que valaient encore ses souvenirs ? Il tournait vers elle un visage totalement inexpressif, vide, ses yeux aussi transparents qu'une goutte de pluie. Ses épaules tombaient.

— Qui êtes-vous ? siffla Alice. Ou plutôt, qu'êtes-vous ? Et que me voulez-vous ?

— Deux excellentes questions, répondit-il d'un ton infiniment las. Mais tellement prévisibles.

— Non ! gronda Alice en approchant. (Elle tremblait. L'exaspération courait dans ses nerfs comme une lave acide.) Non, monsieur Harryman ! NON ! Le coup du gâteux blasé ne marche plus. Vous vous êtes déjà trop amusé avec moi. Je veux connaître les règles du jeu.

— Le jeu ?

Ses traits s'animèrent soudain. Il sauta au bas du fauteuil, juste devant Alice. La jeune femme ne fut même pas surprise de découvrir qu'il avait effectivement grandi. Ils avaient maintenant tous les deux la même taille. Elle plongea son regard dans le sien. Savoir ! Plus rien d'autre ne comptait. Un voile rouge colora les iris délavés. Un sourire apitoyé tendit ses lèvres minces.

— Mais qui a dit qu'il s'agissait d'un jeu ? Jouer signifie pouvoir retourner à la case départ... Ou arrêter la partie en cours. Vous devriez voir comment joue Jill. Cela vous concerne directement. Beaucoup plus directement que toute question à laquelle je pourrais avoir l'amabilité de répondre.

Il s'écarta et indiqua le fauteuil d'un geste du bras. Alice resta pétrifiée. Toutes ses certitudes volaient en éclats. Sa rassurante théorie sur la mémoire prenait un goût de poussière. Elle regrettait même l'impression si angoissante de vivre un rêve impossible à quitter. Affronter la réalité s'avérait bien plus terrifiant encore. Harryman possédait bien des pouvoirs surnaturels... Et elle ne pouvait plus continuer à tourner autour de la vérité : les écrans du *Panpsychological Institute* imposaient à la vie réelle les fantasmes de leurs opérateurs.

Alice plissa les yeux, scrutant son vis-à-vis. En dehors de l'insondable ennui qui l'affligeait la plupart du temps, il n'avait vraiment rien de particulier... A part dans le noir ! Mais là, en pleine lumière, elle n'arrivait même pas à le trouver inquiétant. Plus encore qu'à un médecin, il ressemblait à un magasinier besogneux. Et le fait qu'il eût grandi n'y changeait rien.

Etait-ce là sa suprême habileté ? Des bribes de contes et de légendes revenaient à l'esprit de la jeune femme. Tous évoquaient la fourberie du Malin, la totale insignifiance de ses déguisements pour tromper les humains. Mais qu'aurait pu vouloir obtenir d'elle un être comme Satan ? A condition qu'il existât... Alice ne parvenait toujours pas à s'en persuader.

— Vous manquez de secondes, j'en ai trop, dit Harryman d'un ton monocorde. Celles qui sont en train de s'écouler sont d'une importance vitale pour vous. Il faut vous secouer, ma petite. (Il lui fourra dans la main une objet plat et noir. Une télécommande de télévision.) Un gadget. Mais toutes les époques ont les leurs, on s'accroche à ce qu'on peut. Pressez n'importe quel bouton.

Hébétée, Alice s'assit docilement. Elle fit pivoter le fauteuil face à l'écran, baissa l'intensité des plafonniers. Pas trop.

Elle pressa un des boutons. Des images se mirent à défiler en accéléré. Un Japonais, la lumière du projecteur sur le couteau, une silhouette vêtue d'une robe blanche, le rouge luisant du sang, une ombre dans une salle obscure, elle bouge, passe en gros plan, baisse son appareil photo. Tom !

Le noir.

Une tête baissée. Marilyn arrivait, sifflait une rasade de whisky. La tête se levait. L'ancien ami d'Anita ! Pas le temps de retrouver son nom. Leurs lèvres s'agitaient. Ils partaient ensemble, montaient dans une petite voiture. Elle les emmenait sur les docks. Ils entraient dans un atelier. Un bateau en radoub. Une espèce de remorqueur. Ils grimpaient dessus. Elle se déshabillait, s'offrait à l'air soufflé par un gros tuyau. Comme au *Subart Workshop* avec le ventilateur...

Il y avait de la poussière. Le sable !

Alice écrasa sa paume sur la télécommande. Le défilement s'arrêta. Sur l'écran, Marilyn continuait à laisser le jet de silice sculpter ses entrailles.

— Très inspirée, notre amie Jill. lança Harryman. Et vous ne connaissez pas encore la suite. Un grand moment d'émotion. Surtout pour vous.

Alice jeta le petit boîtier noir loin d'elle.

— Non ! Laissez-moi tranquille.

— Mais vous avez besoin de savoir, Alice. C'est votre vie qu'elle détruit. Nous renoncerons même à l'accéléré pour cette séquence.

Trudy apparut à l'écran. Alice vérifia, Harryman avait les mains vides. Télécommandes, magnétoscopes, ordinateurs ne présentaient pas plus d'intérêt pour lui que des coquilles vides. Seule leur apparence comptait. Elles rassuraient comme rassuraient probablement jadis les rites complexes des messes noires.

Trudy portait ses grosses pantoufles fourrées en forme de tête de Mickey. Elle s'avançait sur le porche, les mains enfoncées dans les poches de son épais peignoir de laine. Elle regardait la Thunderbird s'éloigner dans l'allée puis tourner à droite en atteignant la rue. Un bruit, probablement, lui faisait soudain tourner la tête. Ses sourcils se fronçaient.

Alice comprit ce qui se passait en découvrant la tondeuse à gazon. Elle s'était mise en route toute seule et progressait lentement vers le porche. Contrairement au Japonais ou à Marilyn, Trudy semblait conserver sa lucidité. Son libre arbitre. Alice avait envie de hurler. Au lieu de foncer s'enfermer dans la maison, son amie se passait une main sur le visage. Elle souriait, intriguée mais amusée. Se croyait-elle victime d'une blague ?

L'engin lui passa sur le pied.

— Arrêtez ça ! supplia Alice.

— L'enregistrement date d'un peu plus d'un quart d'heure.

— Arrêtez-le !

— Vous ne désirez pas connaître la fin ?

— Parce qu'il y a un doute possible sur la conclusion ?

Trudy courait en boitillant sur la pelouse jaunie, glissait sur les flaques de neige. Son sang traçait une ligne pointillée. La tondeuse la suivait patiemment, sans se presser.

« Comme la lionne sur la cassette, songea brusquement Alice. Elle la laisse se fatiguer tout en l'empêchant de se réfugier dans la maison. »

Trudy criait en claudiquant sur le terrain vague. Personne ne se montrait. Une voiture apparut au coin de la 47e Rue. Elle approchait.

— Vous avez raison, dit brusquement Harryman. Tout ceci manque d'intérêt.

L'image se figea et Alice se retint pour ne pas hurler. Elle respira profondément, serrant les poings.

— Montrez-moi juste la fin, réussit-elle à dire d'une voix calme.

Elle se tourna pour le regarder et sut que sa haine glissait sur l'espèce de fonctionnaire qui la torturait.

— Je croyais qu'elle ne faisait aucun doute ?

Alice parvint à ne pas répondre. Elle attendit. Harryman ne paraissait même pas s'amuser. Il battit des paupières.

— Entendu !

La voiture ne s'était pas arrêtée. Trudy se battit jusqu'au bout, cherchant à ouvrir une fenêtre à l'arrière de sa maison. La tondeuse la dépeça morceau par morceau. Alice assista à toute son agonie. Elle voulait voir. Savoir. Quelque chose la brûlait, s'étalait sous sa peau pour l'enfermer dans une enveloppe incandescente. La haine... Et l'impuissance. Elle se sentait devenir folle et découvrait que la folie résulte d'un excès de lucidité.

— Le différé manque toujours de sel, déclara Harryman de son ton las. Je pense que vous allez trouver le direct moins fade.

CHAPITRE XV

Joe Flint n'avait vraiment pas eu de bol dans sa vie. Sacrément pas de veine, ouais. A cinquante ans, on peut se permettre un tel constat. On a du recul.

Tout avait plutôt bien commencé, pourtant. Il gardait un souvenir agréable de son enfance. Pas spécialement excitant, mais agréable. Il s'était nettement plus ennuyé au collège. Deux ans qui lui avaient donné un diplôme de comptabilité. Il avait immédiatement décroché un emploi dans une banque de Wall Street. Un boulot mal payé mais on peut grimper dans la banque. Il avait épousé Emma...

Joe jeta un coup d'œil par-dessus son journal. Non, aucun doute, ce n'était pas cette Emma-là. Pas ce tas de viande acariâtre emballé de papier peint à fleurs. Mais où avait bien pu passer l'autre, la brunette rieuse qui mettait de la lumière partout ? Ils avaient connu une belle année tous les deux : 1958. Joe avait perdu l'envie de pleurer qui le prenait jadis quand il y pensait. Même cette envie-là s'use. Ils habitaient un appartement minuscule dans l'East

Side mais qu'auraient-ils fait d'un grand ? C'était tout près l'un de l'autre qu'ils se trouvaient le mieux.

Et puis il avait fallu que ses parents aplatissent leur Chrysler déglinguée contre un pilier de pont. Le vieux Flint devait encore être bourré. Joe avait hérité. Une catastrophe ! Il en voulait pas, lui, de la station-service familiale. Staten Island n'est déjà pas gaie aujourd'hui. Alors à l'époque... Il n'y avait que les mômes pour s'y plaire, à cause des arbres.

Le problème venait de ce qu'elle en voulait, des mômes, Emma. Plein. Avec les bonnes joues rouges que garantit un air sain. Ils n'en avaient pas eu. Elle pouvait pas. Alors elle avait grossi. Et lui, il avait maigri à essayer de tirer leur subsistance de cette saloperie de station-service. Il avait tout tenté pour qu'elle décolle mais elle était vraiment trop mal placée. Si mal placée qu'elle restait un des rares coins de l'île, le seul probablement avec la décharge, à ne pas valoir un clou. Il était piégé.

Un coup de klaxon annonça l'arrivée d'une voiture. Un beau klaxon, avec une sonorité de cor de chasse comme n'en possédaient plus les autos d'aujourd'hui. Il n'eut pas le temps de fermer son exemplaire du *New York Times.*

— Bouge pas, fainéant ! siffla la voix hargneuse d'Emma. J'y vais.

Il s'agissait donc d'une femme. Emma ne se déplaçait que pour les femmes. De peur qu'il glane un peu de plaisir à leur parler ou les regarder. Il attendit que la porte de la boutique se soit refermée, baissa son journal. Il ne s'était pas trompé. Et une belle femme, en plus. Quarante, quarante-cinq ans mais elle pouvait se permettre de porter un pantalon de cuir moulant. Une brunette, elle aussi. Emma aurait pu lui ressembler. Aurait dû lui ressembler.

La gorge de Joe Flint se serra. Il n'avait vraiment pas de pot. Emma se traînait jusqu'à la pompe. Ses grosses cuisses blanchâtres, boursouflées de varices, s'écrasaient l'une contre l'autre sous sa canadienne élimée. Elle aimait les exhiber. Même par moins vingt, elle portait ses horribles robes criardes et trop courtes. Joe la vit décrocher le tuyau d'un geste rageur. La cliente se dandinait sur place en soufflant dans ses mains mais ne remontait pas dans sa voiture. Malgré le froid, elle surveillait les opérations. S'il avait possédé une Thunderbird dans cet état, Joe n'aurait pas agi autrement. Une bagnole de cette classe, ça se bichonne.

Il s'y attendait mais ne put retenir sa grimace lorsqu'Emma sortit le pistolet du réservoir. L'essence dégoulina sur l'aile. La tache s'étala sur la peinture beige, au lustre impeccable. Cette vieille peau l'avait fait exprès, bien sûr. Il replongea dans sa lecture. Elle allait se retourner, elle savait qu'il l'observait. Il ne lui donnerait pas le plaisir d'imposer son triomphe.

Quels seraient ses premiers mots en entrant ? « Salope ! » ? « Putain ! » ? « Quelle garce ! » ? « Une vraie morue ! » ? « Non mais t'as vu cette traînée ? » « Encore une chienne en... »

— Elles se refusent vraiment rien ces pouffiasses !

« Perdu ! »

— Tu sais ce qu'elle m'a obligé à faire ? A allumer

l'épandeur de cire chaude. Par ce froid. Pour trois petites gouttes de rien du tout sur sa foutue bagnole de call-girl. On aurait cru qu'elles étaient tombées dans sa culotte. Sans compter que le lavage automatique, il lui suffit pas, à madame. Elle veut le grand jeu. Et s'assurer que tout se passe bien. Radasse ! Je lui souhaite bien du plaisir. Il est lent à chauffer l'épandeur depuis que tu l'as bricolé. Il lui donnera le temps de se geler les orteils dans ses chaussures ritales. Ça lui apprendra, à c'te vérolée. J'me demande ce qu'elle leur fait, aux hommes, pour leur pomper tout le fric que doit engloutir son clou. Parce qu'elle est moche, en plus. Vous êtes tous des porcs. J'suis sûre que tu la reluquais et que tu bavais. Mais tu vas pas m'le dire. Ah non ! Bien trop...

Non, il n'allait pas lui dire. Joe faillit se lever pour aller voir la Ford. Il en avait rêvé à sa sortie, en 1960. Il rêvait encore à cette époque. Il aurait volontiers discuté avec la jolie brune, aussi. Oh, d'automobiles... Elle devait les aimer pour prendre un tel soin de la sienne. Et elle avait raison. Entre la pollution et le sel épandu sur les routes en hiver, les carrosseries se mitaient à toute vitesse. Et contre ça, il n'y avait que la cire chaude d'efficace. Ce n'était pas réellement de la cire en fait. Une de ces matières modernes tirées du pétrole. Chère. Mais la pellicule transparente donnait un brillant parfait et protégeait de la corrosion pendant plusieurs semaines...

— Tu m'écoutes, ouais ?

Elle avait crié. Il sursauta, baissa son journal.

— Non, tu ne m'écoutes pas. Tu ne m'écoutes

jamais. Je me demandais ce que branlait la pétasse. Il est long l'épandeur mais quand même. Habille-toi, on va voir !

Alice restait sous le choc. *Trudy !* Jill Page l'avait assassinée en se servant de Sphinx. C'était du moins ce que cherchait à lui faire croire Harryman. Mais pourquoi ? Pourquoi Jill aurait-elle commis un acte pareil ? Ou pourquoi Harryman l'en accuserait-il à tort ? Ou pourquoi, encore, le révélerait-il maintenant à Alice ?

La jeune femme sentait la panique monter. Ses idées s'entrechoquaient. Elle avait l'impression d'avoir un essaim hystérique à l'intérieur du crâne. Un essaim d'hypothèses, de questions, de doutes. Elle n'arrivait pas à en saisir un seul, à le fixer le temps de l'étudier.

Anita apparut à l'écran. Grandeur nature, elle semblait se tenir debout dans la pièce à côté de sa voiture. Elle se pencha à l'intérieur de l'habitacle pour presser le centre du volant. Comme si son esprit cherchait à compenser l'absence de son, Alice crut presque entendre le son majestueux du klaxon.

« Vous allez trouver le direct moins fade », avait dit Harryman. S'il ne mentait pas, la scène se passait donc maintenant. Anita se trouvait-elle à son tour en danger ? Mais quel risque pouvait-elle courir dans une station-service ? La pompiste, une horrible bonne femme plus large que haute, venait de renverser de l'essence sur la carrosserie. Anita protestait, l'autre secouait la tête. Elle s'éloignait finalement en direction d'un hangar tout en longueur.

Anita la suivait, roulant au ralenti dans son coupé. Elle ouvrait la portière pour contrôler qu'elle posait bien ses roues sur deux bandes de tôle. La mégère pressait un bouton, grommelait quelque chose, s'en allait. Anita était descendue. Elle regardait le véhicule glisser lentement vers l'entrée d'une espèce de tunnel. Alice vit soudain son dos tressaillir. L'amie de Trudy ne bougeait plus.

Trudy ! Alice n'arrivait pas à accepter qu'elle soit morte.

Anita se remit en mouvement. Malgré le froid, elle commença à se déshabiller. Ses gestes étaient précis, rapides. Trop. Ils s'arrêtaient net en fin de course. Comme ceux d'un jouet télécommandé.

Jill Page savait d'avance que la tâche serait difficile et désagréable. La femme la dégoûtait avec sa façon de chercher à attirer le regard. Son esprit allait suinter d'envie de contacts physiques. Et il allait très certainement résister.

Elle se propulsa donc dans le corps d'un coup, déversant toute sa haine et son mépris. Et l'esprit ne se rebiffa pas ! Ou à peine. Il ne montra pas non plus de réelle surprise. La femme s'attendait à la manifestation d'une force surnaturelle plus forte qu'elle (Jill entrevit une image de Harryman avec des cornes). Ayant déjà accepté sa défaite, elle ne lutta que pour le principe.

— C'est Jill qui la contrôle, comme une marionnette ! s'exclama Alice. C'est ça, hein ? (Elle se tourna vers Harryman.) Votre appareil permet aussi de manipuler les gens à distance, n'est-ce pas ? Elle peut leur faire faire ce qu'elle veut, leur imposer ses pires fantasmes... MAIS VOUS ALLEZ ME REPONDRE ?

Il ne réagit pas. Son regard restait braqué sur l'écran. Alice sauta au bas du fauteuil. Elle l'empoigna par le col de sa blouse, le secoua, le bourra de coups de pieds. Elle aurait aussi bien pu tenter d'ébranler un bloc de pierre. Un clignotement de l'immense moniteur assombrit un instant la pièce, attirant son attention.

L'angle de vue avait changé. Il lui donnait l'impression d'être suspendue à un plafond, au-dessus d'une grande cuve en aluminium. La calandre luisante de la Thunderbird entra dans le champ et un liquide transparent jaillit d'une multitude de trous percés dans une tubulure en forme d'arche. Alice reconnut un épandeur de cire chaude ! En hiver, son père accordait tous les mois ce traitement à la Chrysler familiale. Un rituel.

Les deux pieds posés sur le capot apparurent à leur tour et un hoquet horrifié monta aux lèvres d'Alice. Elle se précipita vers la sortie. Faire quelque chose ! Vite. Elle devait à tout prix arrêter Jill. Stopper cette malade. Elle était prête à la tuer. Elle allait la tuer ! Elle se jeta de tout son poids contre la porte fermée, de l'autre côté du couloir. Elle eut l'impression de se disloquer, étouffa son cri de douleur. Le battant n'avait pas frémi. Alice tambourina, griffa, hurla, insulta, menaça. Elle pensa enfin à sa propre clé, réussit à la retirer de la serrure sans regarder ce qui se passait à l'écran. La clé refusa d'ouvrir la porte de Jill. Alice la tourna dans tous les sens en pleurant de rage. Rien à faire.

Elle s'effondra au pied du panneau lisse et gris, aussi froid et inviolable qu'une chambre forte. Les sanglots qui la secouaient auraient dû couvrir la voix anémiée d'Harryman. Mais ses paroles semblaient chuchotées au creux de son oreille et non dans la pièce voisine :

— Vous prenez le problème à l'envers, ma chère. Si vous voulez la combattre, il faut user des mêmes armes qu'elle.

Joe enfila sa canadienne et suivit Emma. Le temps s'était radouci, aucun doute. Moins cinq, moins dix, une température clémente pour la saison. Ils contournèrent le cube de béton qui tenait lieu de boutique. Le tunnel du laveur automatique se trouvait derrière. La Ford en sortait lentement à reculons, les roues posées sur les deux bandes roulantes. Pas trace de la fille, elle avait dû rester à l'intérieur de la voiture. Merde, le pare-chocs ! Des stalactites s'y accrochaient. D'épais filaments, comme une bave glaireuse, le reliaient au coffre. L'épandeur avait déconné. Joe se précipita. Merde, merde, merde ! Il n'aurait pas dû le réparer lui-même. Tout le coupé semblait coulé dans une couche de gélatine épaisse de deux doigts. Joe approcha son visage de la portière arrière, plissa des yeux pour essayer de voir à travers la vitre. La chaleur rayonnée par la pâte en train de figer lui grillait la joue. Il mit sa main contre sa tempe, chercha une silhouette dans la pénombre. Personne dans l'habitacle. Le hoquet d'Emma le fit se redresser.

L'immense capot commençait à apparaître. La fille était couchée dessus, nue, les bras en croix contre le pare-brise. La cire bouillante n'avait rien laissé de sa beauté. Joe n'arrivait plus à bouger. Il contemplait le cadavre enchâssé dans sa gangue transparente. Pas de pot. Il avait vraiment pas de pot. La crémaillère qui déplaçait la voiture arriva en fin de course. Elle repartit dans l'autre sens.

— Ah non ! glapit Emma en se précipitant vers l'entrée du tunnel. Ça va pas recommencer !

Elle enfonça le bouton d'arrêt de l'appareil, se pencha vers la fosse qui recueillait l'excès de cire. Des résistances électriques l'y maintenaient à sa température de fusion afin de permettre de la récupérer. Emma secoua la tête.

— Non mais t'as vu ce gâchis ! Ce boudin aurait pu se suicider n'importe où, il a fallu qu'elle vienne nous emmerder. Charogne ! Et on sait même pas les dégâts qu'elle a pu causer. (Emma ôta sa canadienne, l'agita dans la direction de Joe.) Tiens, prends-moi ça, je vais voir. Alors, tu te bouges, ouais ? Me dis pas qu'elle te fait encore bander.

Joe approcha, raide comme un automate. Il se sentait engourdi, absent. Il leva la main vers la veste. Sa femme la lâcha au moment où il allait l'attraper. Son rictus méprisant aplatissait son visage bouffi. Elle ressemblait à un crapaud fielleux. La tentation fut trop forte, il avança d'un pas. Ses doigts tendus s'enfoncèrent dans les bourrelets de graisse de la poitrine, poussèrent. Oh, à peine. Emma battit des bras. Il poussa un peu plus fort. Elle bascula en arrière, pivota à la dernière seconde. Atterrit debout dans la cuve.

La pâte bouillante clapota mollement autour de ses chevilles. Les parois d'aluminium se renvoyèrent à l'infini les rides ainsi créées à la surface de la cire. Emma se retourna, lentement, avec des gestes patauds d'oiseau englué. Elle se colla à la plaque métallique. Son corps obèse s'étira, s'allongea tant qu'il put. Le bout de ses doigts frôla le haut de la fosse... Gagna un centimètre. L'extrémité de ses phalanges s'accrocha au rebord, blanchit. Trop haut, trop chaud. Elle lâcha avec un sanglot, tituba. Son regard se planta dans celui de son mari.

— Je te tuerai ! siffla-t-elle avec tant de haine qu'il la crut. Je te tuerai ! Te tuerai...

Sans cesser de crier, elle tomba à la renverse. La vague créée par sa chute dans le liquide visqueux rebondit avec indolence contre les parois de la cuve puis déferla mollement sur son visage, figeant à jamais son hurlement.

Joe remit l'épandeur en route. Il avait besoin de réfléchir.

CHAPITRE XVI

« *Les mêmes armes qu'elle.* »

Une chambre d'écho parut reprendre le chuintement asthmatique d'Harryman. Il tournait à l'intérieur du crâne d'Alice comme dans une pièce vide, légèrement amplifié à chaque répétition. Les mots se recouvraient, se fondaient en un rugissement uniforme, enflaient en un cyclone qui la dévastait. Au centre du tourbillon, une zone de calme s'étendit, se nourrit de la violence de l'ouragan. Finit par le digérer entièrement.

Alice se leva. Elle ne sentait plus son corps, avait oublié ses larmes et sa frustration. Debout à côté du fauteuil, Harryman n'avait pas bougé. Il semblait toujours aussi minéral. S'il respirait, son souffle ne soulevait pas sa poitrine. Alice s'assit. Sur l'écran, deux jeunes policiers en uniforme interrogeaient un Tom livide et tremblant. Des gens en civil s'affairaient autour du corps de Trudy.

Alice s'installa confortablement sur la couchette. C'était maintenant au tour de Tom de voir sa vie menacée. Et elle représentait sa seule chance d'être sauvé. Elle n'en éprouvait pas d'inquiétude particulière. Elle n'éprouvait rien en dehors de cette formidable rage froide à l'idée que quelqu'un était en train de détruire sa vie. Sa vie à elle !

Ses mains pressèrent d'un geste sec les capteurs contre ses tempes. Elle eut immédiatement l'impression de se retrouver dans ce jardin à l'abandon qu'elle connaissait si bien. Tout près des trois hommes qui discutaient.

— ... de venir avec nous, monsieur Hopkins. Nous devons enregistrer votre déposition.

Tom hocha la tête. Il se dirigea vers leur voiture. Une camionnette, puis une ambulance, s'arrêtèrent de l'autre côté de l'allée. Un gyrophare cessa de clignoter et c'était comme s'il mourait.

Tom se laissa tomber sur la banquette arrière du véhicule de patrouille. Une grille le séparait des deux officiers qui prenaient place à l'avant. Alice, elle, voyait tout comme si elle se trouvait assise à côté de Tom, tournée vers lui, dos appuyé contre la portière. Elle l'étudia, parfaitement détachée. En fait, elle se sentait plutôt en affinité avec la voiture ; avec sa solidité, le ronronnement serein de son moteur. Tom baissait la tête. Il était blême. Sa tignasse ébouriffée pendouillait, masquant ses yeux. Son nez proéminent paraissait énorme, agressif comme un bec de rapace. Ses lèvres tremblaient. Alice se demanda ce qui avait bien pu l'attirer chez un homme aussi imparfait.

Les engrenages sophistiqués de la boîte de vitesses automatique coulissèrent sans heurt. La crémaillère de direction glissa dans son enveloppe de graisse. L'huile synthétique des amortisseurs hydrauliques gicla d'une chambre à l'autre, freinant les rebonds des roues dans les cahots. Alice était un peu surprise du plaisir que lui donnaient ces mouvements mécaniques. Tom lui semblait de moins en moins digne d'intérêt. Un être vain, aux pulsions et à l'agitation importune et lassante. Et, surtout, un organisme sans espoir, à la décrépitude entamée le jour de sa naissance, inscrite dans sa nature même. Quant aux deux policiers, elle les avait oubliés.

Les pneus chuintèrent en accrochant l'asphalte. Un frémissement dans le circuit électrique. Les étincelles entre les vis platinées, comme un délicieux picotement au bout des doigts. Et la puissance des explosions dans les chambres de combustion. Une puissance domptée, absorbée par la solidité des pistons, la rotation parfaite et fluide du vilebrequin dans son bain d'huile. Cette énergie nourrissait Alice. Elle avait en même temps la tranquille certitude de pouvoir s'en passer. Sa carrosserie, son châssis, ses essieux, tous ses organes internes étaient inaltérables. Ils n'avaient besoin que d'un entretien simple et régulier contre la corrosion. Un entretien que pouvait aisément dispenser une autre machine.

A l'intérieur de sa carcasse, les créatures ridicules et éphémères s'agitèrent. Elle perçut les vibrations émises par leurs cris. Elle verrouilla ses portières. Ses déplacements exigeaient toute sa concentration. Les mouvements du volant, le contrôle de la délicate pompe d'injection, les souples aller-retour du disque d'embrayage. Elle était lourde et solide... Mais tellement agile ! Sa perception s'étendait tout autour d'elle, l'impression de se mouvoir dans un arc-en-ciel perpétuellement changeant d'ondes de toutes fréquences et amplitudes. Aux échos qu'ils créaient, elles distinguaient d'autres mécanismes et calculait leurs vitesses et leurs trajectoires.

Elle arrivait. Agréable chatouillement du clignotant. Ses pneus écrasèrent un sol poussiéreux imbibé de lubrifiant gaspillé. L'excitation montait en elle. Le sentiment d'œuvrer dans le sens d'une prodigieuse évolution, de participer à la marche de l'univers. Et l'attente fébrile de la destruction. La jouissance anticipée de l'annihilation de parasites. C'était une explosion de joie qui enflait comme un orgasme. Le seul plaisir que l'on pût obtenir des êtres humains, ces répugnants tas de viande et de sang. Ces animaux dégoulinants de désirs inassouvissables, gluants comme des limaces, avides comme des doigts de vieillard.

Une image mentale se formait. Un visage. Il avait une peau lustrée, légèrement argentée. Elle était tendue sur une ossature nettement apparente à la symétrie parfaite. Une mâchoire carrée, un nez mince à l'arête rectiligne, des arcades sourcilières circulaires sous un front semi cylindrique barré d'une frange de cheveux blonds coupés au cordeau. Il était beau. D'une beauté froide et immuable.

Et ses yeux gris-bleu regardaient sans désirer. L'intelligence s'y lisait, et le désintérêt de la chair. Ces yeux devaient cesser d'être distraits, ils pourraient alors...

Alice se reconnut !

Elle se retrouva aussitôt sur le fauteuil. Elle ne perçut pas le cri de déception comme un son mais comme un grincement qui se propagea dans ses nerfs. Sur l'écran, trois hommes tambourinaient les vitres d'une voiture de police. La scène se passait dans une casse car le véhicule était arrêté au fond d'une impasse formée de monstrueux entassements de métaux de récupération. Le pare-chocs avant butait contre une muraille de moteurs ruisselants d'huile de vidange. Des carrosseries compressées sous forme de parallélépipèdes torturés s'empilaient à gauche et à droite sur cinq mètres de haut.

La fureur grondait en Alice. Elle s'était laissée entraîner dans le délire de Jill Page, avait éprouvé ce que cette folle éprouvait. Possédait-elle donc si peu de personnalité pour que Harryman puisse la manipuler avec tant d'aisance ? Son esprit était-il donc si vide qu'une névrosée sadique n'ait aucun effort à faire pour lui imposer sa vision du monde ?

Elle eut soudain l'impression que les bourrelets du fauteuil, sous elle, se trouvaient soudain directement en contact avec sa peau nue. Elle avait des cheveux noirs, longs, épais, lourds. Des pieds plus fins. Des jambes et un ventre qu'elle ne reconnaissai pas. On lui avait pris son corps ! Et partout dans sa tête, l'esprit de Jill Page papillonnait autour du sien, tâtonnait, s'infiltrait. S'imposait. C'était comme des radicelles qui s'étalaient pour l'encercler, l'étouffer.

Elle paniqua, voulut écarter les tampons pressés contre ses tempes. Elle ne savait même plus où se trouvaient ses propres mains et celles de Jill Page résistaient.

— *Je suis Alice. Alice ! ALICE !*

Elle n'avait rien d'autre à opposer. Mais c'était justement Alice que voulaient ces tentacules obstinés. Et Jill Page s'abandonnait, s'offrait. Elle ne voulait pas être Jill. Elle était prête à tout donner. Alice oublia son dégoût. Elle ne percevait plus qu'une présence vivante, presque palpable. Et une immense souffrance. La carapace de cruauté dont s'était cuirassée Jill se dissolvait. Et derrière brûlait le désespoir. Un vertigineux besoin d'amour. Alice vit des milliers de regards (revit plutôt, comme s'ils étaient ses propres souvenirs), des milliers de sourires. Ils se coagulaient pour former une bulle infranchissable. Ils étaient si nombreux et tous interchangeables. Car tous contenaient la même avidité trouble, quelque chose d'horrible lié à la vieillesse sans qu'elle comprenne exactement en quoi.

Alice ouvrit son âme comme elle aurait ouvert les bras à une petite fille en pleurs. Les deux esprits entrèrent en contact. Pleinement, totalement. C'était étourdissant. Une infinité de souvenirs, d'émotions, de pensées différentes, opposées, qui se confrontaient, s'acceptaient. Jill renonçait peu à peu à la seule protection qu'elle eût trouvée contre les autres, l'envie de devenir une machine. Sa confiance, sa dévotion pour Alice donnaient à celle-ci le sentiment de grandir, de s'épanouir. Le temps s'arrêta. Elles allaient fusionner, s'absorber mutuellement, n'être plus qu'une. A jamais.

— *NON !*

Le repli fut total et immédiat. Un volet blindé qui claque. Et le retour instantané dans son propre corps. Alice n'avait pas pu. Et cette solitude qu'elle venait de retrouver, à laquelle elle n'avait pas réussi à renoncer, lui causait à la fois amertume et soulagement. La pénible impression, aussi, d'être un yo-yo retombé au bout de sa ficelle après avoir tournoyé très haut.

La furie de Jill battait contre l'armure dont elle avait enveloppé son esprit. Ses coups de boutoir cessèrent brusquement. Sur l'écran, Alice vit alors apparaître le bulldozer. Lame relevée, il passait entre un gigantesque empilement d'épaves de voitures et une baraque faite de planches et de tôles ondulées. Jill Page en personne le conduisait. Nue, les cheveux en bataille, les traits tordus par la souffrance et la haine, elle ressemblait à une déesse de la vengeance.

L'engin à la peinture jaune semée de taches de rouille abaissa son godet pour écarter négligemment de son passage une grosse Toyota accidentée. Il le garda baissé et se dirigea vers l'ouverture entre les deux hautes piles de carrosseries broyées. Alice espéra un instant que l'impasse se révélerait trop étroite mais l'engin de terrassement disparut à sa vue.

Elle paniqua. Tom allait mourir et elle ne faisait rien pour le sauver. Elle remarqua alors la grue arrêtée près d'un amoncellement de batteries usagées. Monté sur chenilles, sale et marron, l'engin semblait dater de l'époque des dinosaures. Une lourde pince formée de trois crocs pendait sous la flèche. La jeune femme se retrouva dans la cabine avant même de l'avoir souhaité.

La vieille machine puait le cambouis et le plastique brûlé. Le revêtement de skaï en lambeaux ne cachait plus le rembourrage du siège : une mousse noire de crasse. Une bonne dizaine de leviers s'alignaient devant Alice. Des courts et des longs avec une grosse boule au bout. Trois pédales à ses pieds. Malgré son pull et sa jupe de laine, elle grelottait dans le courant d'air glacé qui s'engouffrait par les vitres cassées.

La clef de contact ? Où se trouvait la clé de contact ? Cette plaque grise là, à gauche, avec le compteur rond, tenait-elle lieu de tableau de bord ? Il y avait un bouton en bakélite noire et écaillée au milieu. C'était la seule chose qui paraissait pouvoir se tirer, se pousser ou se tourner. Alice tira. Le moteur toussa. Un diesel, bien sûr ! Il fallait préchauffer ! Elle refit le même geste mais en gardant la commande tirée à mi-course.

Un bruit de tôles froissées lui parvint. Le bulldozer broyait la voiture de police. Alice se força à compter. Lentement, en articulant bien :

— ... Vingt-huit, vingt-neuf, trente !

Le moteur démarra du premier coup et toute la grue se mit à trembler. Alice enfonça la pédale de gauche. Sûrement l'embrayage. Pas de volant, comment se conduisaient les engins à chenilles ? En arrêtant ou en ralentissant celle du côté où l'on voulait tourner, si elle se rappelait bien des souvenirs de guerre de son tankiste de père.

Alice poussa vers l'avant les deux gros leviers

situés de part et d'autre du siège. L'engin s'ébranla dans un vacarme qui donnait l'impression que rien ne pouvait résister à de telles vibrations. Il se traînait et Alice n'entendait plus ce qui se passait de l'autre côté du mur de ferraille.

Elle vit soudain le bulldozer réapparaître, pivoter, lever son godet et foncer vers elle. Cherchant à l'éviter, Alice tira son levier droit trop sèchement, la grue se mit à tourner sur elle-même. Elle voulut compenser avec le gauche et rata sa manœuvre. La machine déglinguée s'arrêta net. L'énorme pince au bout de la flèche pendula vers l'avant. Tout proche, le moteur du bulldozer gronda. La poussée du godet fit basculer la grue déjà déséquilibrée.

Alice ne s'évanouit pas. La joue dans la poussière, le bassin coincé entre le siège et une paroi de tôle rêche, une boule dure s'enfonçant dans son aisselle, elle resta quelques instants à lutter contre les larmes et un immense sentiment d'échec. Du sang coulait dans ses yeux, elle devait avoir une coupure au front. Elle remarqua le silence. Plus de moteurs. Un rectangle de ciel bleu brillait au-dessus d'elle. Elle secoua la tête, attrapa un levier et réussit à se déplier.

Posant les coudes sur la tôle sale de l'habitacle, elle découvrit que son épave avait fait naufrage juste en face de l'impasse. La voiture n'était pas aussi abîmée qu'elle s'y attendait. Un peu tordue quand même, mais les trois hommes, à l'intérieur, continuaient à rebondir d'une portière à l'autre comme des écureuils affolés. Ils hurlaient des suppliques ou des menaces indistinctes à Jill Page. Impassible, celle-ci regardait l'essence ruisseler du réservoir endommagé en jouant avec un Zippo. Elle avait abandonné le bulldozer à l'endroit où il avait frappé.

Alice ne chercha même pas à réfléchir, calculer. Elle se hissa sur le flanc de la grue et bondit. Un saut dans lequel se concentraient toute sa rage et toute son énergie. Elle eut l'impression que c'était le décor qui se mettait à défiler alors qu'elle restait suspendue, immobile, au-dessus du sol. Elle crut une fraction de seconde qu'elle allait avaler ainsi les vingt-cinq mètres qui la séparaient de sa cible. La sensation cessa. Elle retombait... Sur ses pattes avant. Elle n'avait pas perçu la métamorphose. La lionne ne courait pas, elle volait.

La mèche du briquet s'enflamma. Jill recula en le tendant à bout de bras. Plus que quelques foulées. Le briquet tourbillonnait dans l'air limpide.

La vague de chaleur grilla les poumons du fauve et Alice l'arrêta net. La lumière des flammes lui brûlait les yeux. S'il y avait des cris, le ronflement de l'incendie les couvrait.

Jill se retourna. Dans la lueur du brasier, son corps nu prenait un éclat doré, presque métallique.

CHAPITRE XVII

L'instinct de la lionne lui hurlait de reculer devant le feu. Alice ne chercha pas à l'en empêcher. De toute manière, elle ne voulait plus rien décider. Elle ne voulait plus penser. Même pas à la vengeance. Sans trop savoir pourquoi, elle attendait l'explosion de la voiture. Mais celle-ci ne venait pas. Au contraire, le feu baissait déjà. On ne distinguait rien dans l'habitacle noirci par la fumée. Alice se demanda si elle avait encore envie de vivre et aucune réponse ne lui vint.

Jill avançait dans sa direction, le corps étrangement lisse, le visage parfaitement inexpressif, les yeux verts fixes et anormalement lumineux. Elle s'arrêta. Une immobilité de statue. Aucune odeur n'émanait d'elle et cette absence troublait la lionne. Rien ne menaçait directement l'animal mais Alice sentait sa peur qui montait, n'attendant qu'un déclic pour se déverser dans ses nerfs.

Le moteur du bulldozer gronda.

Il s'écartait de la grue couchée au sol, pivotait,

abaissait son godet. Alice résista au déferlement de panique. Elle réussit même à lancer le félin vers l'engin. Trop tard, il bloqua la sortie avant qu'elle ne l'atteigne. Il passait tout juste entre les deux piles de voitures compressées. Si juste que ses chenilles raclaient par endroits les blocs de métal. Il la poussait lentement vers l'incendie.

Alice se retourna. Jill Page semblait l'attendre. Quatre foulées suffirent à la lionne pour atteindre sa vitesse maximum. Elle bondit. Une détente prodigieuse à plus de soixante kilomètres à l'heure. La femme brune ne bougeait pas. Sa gorge approchait. Elle était là. Les dents d'Alice claquèrent dans le vide. Ses pattes touchèrent le sol. Elle assit immédiatement son arrière-train, s'arc-bouta. Elle dérapait. Des débris de verre lacérèrent la chair tendre de ses coussinets. La voiture en feu approchait.

Alice réussit à s'arrêter. Elle virevolta. Jill la narguait à moins de cinq mètres. Ses étranges yeux verts gardaient une fixité absolue. Ses paupières ne cillaient pas. Les narines du félin palpitèrent. Toujours pas d'odeur. Alice le poussa prudemment en avant. Sa patte jaillit. Un éclair qui contenait tout son être. Les griffes tendues à s'arracher trouvèrent le ventre, crissèrent sur une surface dure, inviolable. Elle entendit un feulement de douleur jaillir de sa gueule et l'affolement faillit la submerger. Son ennemie possédait la dureté de la pierre.

Pire, elle se mettait à changer. Elle augmentait de volume. Ses formes perdaient leur modelé féminin pour devenir plus carrées. Jill Page se transformait en un assemblage de parallélépipèdes aux angles arrondis. Sa peau luisait franchement comme du métal doré et poli. Elle avança d'un pas. Son pied souleva un nuage de poussière en touchant le sol. Un deuxième pas tout aussi lent et lourd. Elle semblait télécommandée, privée de volonté. Enfin débarrassée de toute émotion, elle était devenue une machine.

Et cette machine marchait sur Alice. Impitoyable, elle la poussait vers la voiture qui continuait de brûler. Le bulldozer la suivait, ôtant tout espoir de fuite. La lionne se mit à aller et venir frénétiquement d'une paroi à une autre. Son abdomen raclait la terre. De petits gémissements plaintifs s'échappaient de sa gorge. Chaque fois que son va-et-vient l'approchait de l'incendie et de la chaleur qu'il irradiait, sa panique enflait et la renvoyait vers cet être inhumain, inodore. Et sa terreur augmentait encore. L'effroi d'Alice s'ajoutait à celui du fauve. Elle ne pouvait ni se battre ni s'enfuir. Elle sombrait dans la folie. Un coup de pied de Jill la projeta vers les flammes. Son pelage crépita. Elle rebondit, buta contre les jambes d'acier. Elle était coincée, perdue, affolée par le feu. L'envie de détaler était une torture insoutenable, une énergie sans exutoire mais qui ne cessait d'enfler. Elle tétanisait ses muscles, la paralysait. Un nouveau coup de pied la poussa dans le brasier. Elle avait déjà connu cette souffrance, elle ne voulait pas recommencer.

La jeune femme se retrouva dans le fauteuil. Elle arracha les tampons qui pressaient ses tempes.

Sauvée.

Mais elle avait échoué. Pire, elle acceptait sa défaite. Sur l'écran, le corps de la lionne se tordait, plaqué aux tôles incandescentes de la voiture par un énorme robot, une mécanique complexe de tubulures noires actionnées par des vérins. Alice se sentit commencer à trembler. Elle tremblait de fureur. Une folle venait de tuer ses amies, l'homme qu'elle aimait et elle, elle reculait. Elle se défilait. Avait-elle véritablement tout essayé ?

D'un geste rageur, elle remit les capteurs, plongea... La souffrance explosa, atroce. Les flammes courtes émises par le carburant léchaient ses pattes. Son flanc grésillait comme sur un gril. Elle avait plusieurs côtes brisées, un poumon perforé. Mais elle dominait sa panique, y puisait une formidable énergie. Il lui restait une chance.

La translation fut immédiate. La douleur restait aussi horrible mais la rage de vaincre balayait tout. Jill était allongée sur le fauteuil de dentiste, dans son laboratoire. La vraie Jill, pas la machine qu'elle imaginait être. Alice trouva la force de planter les dents de la lionne dans un mollet, de tirer. Le corps nu et inerte glissa sur la moquette rase. Il ne réagit pas quand le félin agonisant se coucha sur lui.

Alice ouvrit la gueule. La plaqua sur la bouche et le nez de Jill Page. La vie revint animer les grands yeux verts mais la femme brune ne chercha pas à se débattre. Sa peau douce haletait doucement contre le ventre velu d'Alice. Elle commençait à suffoquer mais elle l'acceptait. Elle s'abandonnait avec amour à ce baiser fatal.

Et Alice l'aimait.

Mais elle devait la détruire pour assurer sa propre survie.

Son corps de félin oubliait les blessures mortelles qui le torturaient. Seule comptait la volupté de la victoire. Et l'appétit auquel elle donne droit, l'assouvissement d'un besoin fondamental, incontournable : continuer à exister. Chaque souffle que la lionne obtenait de sa proie était un sursis chapardé au néant, un dernier battement de cœur arraché à un organe exsangue.

Victime et bourreau partagèrent leur ultime spasme. La dépouille du fauve disparut. Mais Alice était toujours là. A quatre pattes, nue et humaine. Vivante ! Plus vivante qu'elle ne l'avait jamais été. Elle frissonnait d'une faim dévorante, une merveilleuse brûlure que rien ne semblait devoir apaiser.

Le cadavre de Jill présentait sa gorge, Alice y planta les dents. Ses dents trop courtes d'omnivore. Le sang gicla, tiède et onctueux. Un incendie se mit à rugir dans ses veines lorsqu'elle mordit dans ce que sa proie avait de plus nourrissant à offrir : la glande thyroïde. Elle acceptait ce don et, avec lui, l'énergie brutale et sauvage qui bouillonnait en elle. Une joie presque insupportable léchait ses nerfs : elle n'était pas morte ! Son sexe la brûlait.

Elle perçut soudain une présence. Une odeur, plutôt. Le parfum du mâle. Un parfum âcre et lourd, musqué. Alice se retourna d'un sursaut. Harryman venait d'entrer dans la pièce. Il avait encore grandi et ses yeux étaient rouges, incandescents. Son corps dévêtu se transformait. Des poils drus et noirs gagnaient sur sa calvitie. D'autres couvraient ses cuisses. Celles-ci s'épaissirent. Son squelette se tordit, voûtant son dos et cambrant exagérément ses reins. Deux cornes annelées et pointues jaillirent du crâne. Les mollets s'allongèrent, s'affinèrent. Les pieds se recroquevillèrent. Les orteils se fondirent en des sabots noirs et luisants, fendus en leur milieu. Ils commencèrent à claquer nerveusement sur le sol. Un trépignement entêtant, une danse nuptiale et sauvage. Un appel au rut qui mit Alice en sueur, lança une armée de fourmis à l'assaut de sa peau. Le phallus se dressa. Un phallus énorme, recourbé et brunâtre, comme parcheminé.

Le parfum émis par Harryman s'épaissit, devint une véritable puanteur. Une puanteur envoûtante, irrésistible, qui attisait par bouffées le feu qui consumait le ventre d'Alice. Le martèlement hypnotique des sabots accéléra. Il approchait, tourbillonnait autour d'elle. La jeune femme haletait. Ses membres tremblaient, ruisselants de transpiration. Elle n'était plus qu'une flamme percée d'un vide insupportable. Un vide qui devait absolument être rempli, comblé. Tout de suite !

Elle roula à terre, s'écartela. Des griffes crochues agrippèrent ses épaules. Elle jeta son bassin en avant, accueillit d'un cri le coup de boutoir. Le dard monstrueux l'envahit. Enfin ! Il meurtrissait sa chair, la distendait, la déchirait. C'était une bête cuirassée et violente qui la labourait de sa peau écailleuse. Alice hurlait tandis que la souffrance ne cessait de monter.

Et avec elle une volupté dévastatrice et monstrueuse qui ne semblait pas avoir de limites. Elle n'était plus qu'un vagin qui saignait, pressait, se contractait, malaxait, aspirait. Et elle pleurait, hoquetait, se tordait, tanguait, lançait ses hanches au-devant des mouvements du corps velu qui écrasait ses seins.

Elle ouvrit les yeux. Ils plongèrent dans un regard fixe et insondable : deux abîmes de ténèbres ouverts sur l'éternité. Elle se sentit tourbillonner comme si elle tombait. Le temps et l'espace devinrent infinis. Elle s'y progageait en une onde de jouissance insupportable et délicieuse... Se dissolvait dans une deuxième. Puis dans une troisième... Il n'y avait plus d'Alice. Seule restait une vague de plaisir qui déferlait interminablement. Renaissait avant même de mourir.

Le jet de sperme glacé la ramena brutalement sur terre. Elle n'éprouvait soudain plus rien d'autre qu'une douleur lancinante dans son ventre. Et une immense fatigue.

Harryman avait retrouvé son apparence de petit employé besogneux. A part qu'il était nu. Debout à côté d'elle, les épaules tombantes, il la contemplait avec indifférence.

Alice frissonna. Elle se sentait vidée. Plus que cela : brisée, éparpillée. Tout son corps lui faisait mal. Elle parvint à s'asseoir. La sueur qui la couvrait était gelée.

— Et maintenant, vous allez vouloir savoir qui je suis, murmura Harryman d'un ton las.

Alice cligna des paupières. Il s'accroupit en face d'elle.

— Eh bien je suis le Diable. Satan, si vous préférez.

Ou encore Belzébuth... Mais on m'a attribué tant de noms : Pan, Silvain, Baal Hammon... Je vous passe l'énumération.

Il fit mine de se lever. Alice lui saisit le bras.

— Ça ne vous suffit pas ? (Il eut un sourire sans joie.) Alors disons pour simplifier que je suis un immortel. Ce n'est d'ailleurs pas une simplification. Toutes mes autres particularités ne sont que futilités comparées à l'immortalité. Je ne peux pas mourir. Comment pourriez-vous comprendre ?

Il s'arracha à l'étreinte de la jeune femme et se dirigea vers la porte.

— Non ! s'exclama Alice. (Elle voulut se dresser, retomba à quatre pattes.) Vous n'avez pas le droit de partir ainsi. Vous avez foutu ma vie en l'air. Causé la mort des gens que j'aimais. Pourquoi ? Pour me voler mon âme ?

Harryman ricana. Il se retourna.

— Voler votre âme alors que je dois déjà supporter la mienne ? Non, ma chère, je ne m'intéressais qu'à votre personne physique. Mais j'en ai connu tant d'autres. Pour que le jeu ait un minimum de sel vous aviez besoin d'une préparation... disons psychologique. Avouez que l'expérience fut instructive. Vous vous êtes offerte comme vous ne saviez même pas pouvoir le faire.

— Salopard !

Elle se traîna vers lui. Il l'attrapa sous les aisselles, la souleva, plongea son regard délavé et vide dans le sien.

— Vous n'êtes rien, dit-il de sa voix monocorde. Rien. Vos quelques années de vie ne représentent qu'une étincelle au fil de milliards de siècles. L'éternité c'est long. Et terne. Si l'on arrive encore à l'atteindre, il n'y a guère que l'orgasme pour oublier à quel point on s'ennuie. La petite mort. (Son ton changea. Pour la première fois, il vibrait d'une véritable émotion :) Je n'ai pas droit à la vraie !

Il la lâcha. Elle réussit à se maintenir debout. Elle le suivit des yeux tandis qu'il traversait le couloir. Il grandissait, ses épaules s'élargissaient. D'étranges cylindres se mirent à bouger sous sa peau. Il ouvrit la porte du laboratoire de Jill Page. La jeune artiste était couchée sur le dos. Vivante ! Elle tressautait sur le sol, comme parcourue de décharges électriques. Jambes ouvertes, elle griffait l'intérieur de ses cuisses. Ses doigts étaient rouges de sang.

— *Quoi !* hurla Alice. Mais... mais alors je... Elle...

— Je lui ai offert la même possibilité qu'à vous, mademoiselle Godsend, répondit Harryman sans se retourner. Pousser à son extrême une recherche personnelle.

— Et les autres... ? Tom, Trudy... Ce n'était pas....

— La réalité ? Mais qui serait assez stupide pour croire à une réalité où j'existe ?

Quand il referma la porte, il avait complètement pris l'apparence d'un robot.

— Salopard ! répéta Alice.

Ses jambes cédèrent mollement. Au ralenti. Elle se sentait salie. Elle entendit une voiture klaxonner devant l'institut, un son grave, comme une corne de brume qui l'appelait.

— Salopard !

Institut de psychologie
cherche artistes masculins

pour expériences rémunérées sur la créativité.
S'adresser 125 Lakeview Road, CHICAGO.

Cet ouvrage a été composé par
Pure Tech Corporation, Pondichéry, Inde
et achevé d'imprimer en octobre 1993
sur les presses de Cox & Wyman Ltd.
à Reading (Berkshire)

—N° d'impression : 8761.—
Dépôt légal : novembre 1993
Imprimé en Angleterre